Le tunnel

Les Éditions du Vermillon reconnaissent l'aide financière
du Conseil des Arts du Canada,
du Conseil des arts de l'Ontario, de la Ville d'Ottawa,
et du gouvernement du Canada (Programme d'aide
au développement de l'industrie de l'édition, PADIÉ, du
ministère du Patrimoine canadien) pour leurs activités d'édition.

Patrimoine canadien   Canadian Heritage

Catalogage avant publication de Bibliothèque et Archives Canada

Le tunnel : collectif d'auteurs du Canada, de Suisse, de France
et de Belgique / textes sous la direction de Jacques Flamand;
illustrations, François-Xavier Noir.

(Collection Parole vivante)
ISBN 978-1-897058-55-8

1. Nouvelles canadiennes. 2. Roman canadien--21ᵉ siècle.
3. Nouvelles françaises. 4. Roman français--21ᵉ siècle. 5. Tunnels--
Romans, nouvelles, etc. I. Flamand, Jacques, 1935- II. Collection.

PS8321.T86 2007   C843'.010806   C2007-902123-9

Photographie de la couverture, **François-Xavier Noir**

Les Éditions du Vermillon
305, rue Saint-Patrick Ottawa (Ontario) K1N 5K4
Téléphone : (613) 241-4032 Télécopieur : (613) 241-3109
Courriel : leseditionsduvermillon@rogers.com

Distributeurs
Au Canada Prologue
1650, boulevard Lionel-Bertrand Boisbriand (Québec) J7H 1N7
Téléphone : (1-800) 363-2864 (450) 434-0306
Télécopieur : (1-800) 361-8088 (450) 434-2627
En Suisse Albert le Grand
20, rue de Beaumont CH 1701 Fribourg
Téléphone : (26) 425 85 95 Télécopieur : (26) 425 85 90
En France Librairie du Québec
30, rue Gay-Lussac 75005 Paris
Téléphone : 01 43 54 49 02 Télécopieur : 01 43 54 39 15

ISBN 978-1-897058-55-8
COPYRIGHT © Les Éditions du Vermillon, 2007
Dépôt légal, deuxième trimestre de 2007
Bibliothèque et Archives Canada

Collectif d'auteurs du Canada, de Suisse,
de France et de Belgique

Le tunnel
Nouvelles et récits

Sous la direction de
Jacques Flamand

Illustrations
François-Xavier Noir

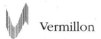 Vermillon

Les auteurs

Bernard Antenen   Suisse

Nicole Balvay-Haillot   Canada

Pierre-Antoine Bertoli   Suisse

Claire Boulé   Canada

Lysette Brochu   Canada

Julien Dunilac   Suisse

Jacques Flamand   Canada

Edith Habersaat   Suisse

Martine Jacquot   Canada

Claude Lamarche   Canada

Loïse Lavallée   Canada

Carole Martel   Canada

Pierrette Micheloud   Suisse

Christian Milat   Canada

François-Xavier Noir   France

Louis Noreau   Canada

Jean-François Somain   Canada

Jacqueline Thévoz   Suisse

Gilbert Troutet   Canada

Paul Van Melle   Belgique

Préface

EN SON sens premier, la définition d'un tunnel est connue de tous : «Galerie souterraine destinée au passage d'une voie de communication (sous un cours d'eau, un bras de mer, etc.)». On renvoie ainsi au tunnel routier, de chemin de fer, du métro, galerie creusée dans une montagne, etc. Les exemples qui nous viennent spontanément à l'esprit ne manquent pas : tunnel sous le Mont-Blanc, sous la Manche, futur tunnel sous le détroit de Gibraltar, souterrain qui, au Canada, relie divers bâtiments pour éviter le grand froid hivernal. Il y a ausssi l'interprétation au second degré, celle-là aux directions multiples originales, inattendues, créatives, celle qui fait l'art, la nouvelle littéraire unique. Bien sûr, telle est la voie suivie par les vingt auteurs du présent recueil, qu'il s'agisse ou non de nouvelle au sens strict. Or, quelle est la définition de la nouvelle? Ses contours ne sont pas aussi tranchés si l'on s'écarte de la conception classique de la nouvelle : composition littéraire brève, de construction dramatique, aux personnages peu nombreux, à la chute abrupte. En effet, la nouvelle que l'on pratique aujourd'hui peut être plus longue, ne pas se clore par une chute inattendue, privilégier la description, la psychologie du narrateur, des personnages, etc. Aussi, pour ne pas s'enfermer dans la définition du genre, nous a-t-il paru utile d'ajouter en sous-titre du recueil *nouvelles et récits*. Il appartiendra au lecteur de décider du genre littéraire.

Il s'agit dans ce recueil d'une heureuse collaboration internationale Europe-Canada : six Suisses, douze Canadiens, un Français, un Belge. En outre, l'un des auteurs, François-Xavier Noir, qui est également artiste visuel, a bien voulu, pour accompagner chacun des textes, dessiner une illustration en noir et blanc qui renforce et rehausse l'unité du recueil. En préambule, le « Manifeste de l'artiste » ajoute, sous forme symbolique, et en toute liberté, l'engagement critique radical de l'artiste illustrateur au service de la souveraine création, remarquable mariage de deux expressions de l'unique œuvre, texte et image, une même liberté créatrice.

Quelques auteurs ont bâti leur texte autour de tunnels réels, celui de la naissance dans le monde, aboutissant à l'obscurité et au questionnement *(Bernard Antenen)*, le métro de Montréal, refuge d'un sans-abri, son cœur vivifié par une mère disparue et des œuvres d'art *(Claire Boulé)*, les tunnels de l'aéroport de Paris, point de départ d'une interrogtion sur l'identité *(Nicole Balvay-Haillot)*, un tunnel abandonné de la région des Carpates, le granit sous la main du marcheur évoquant la beauté du monde minéral jusqu'à l'être qui n'a pas de terme *(Jacques Flamand)*, un tunnel pour le chemin de fer quelque part en Suisse ou en France, devenant le tunnel de grands traumatismes *(Jacqueline Thévoz)*, un tunnel du RER B, en France, où une valse jouée à l'accordéon par un sans-abri déclenche souvenirs et décisions *(Martine Jacquot)*.

Pour d'autres, le tunnel a pris un visage allégorique lumineux, ou souffrant.

Lumineux dans le passage d'un état de désespérance vers un avenir heureux à créer *(Pierre-Antoine Bertoli)*, l'enfant qui naît portant en lui la mémoire de vies passées et à venir *(Claude Lamarche)*, la migration hors de son corps d'une jeune femme accidentée, et son retour à celui-ci *(Loïse Lavallée)*, en salle de réanimation, un père dit sa volonté de vivre pour sa fille *(Carole Martel)*, nos vies illuminées par la lumière perpétuelle malgré l'obstacle des religions *(François-Xavier Noir)*, espérance de retrouver, sans foi religieuse, la présence de disparus aimés *(Paul Van Melle)*.

Souffrant, dans le long coma d'un jeune homme après un accident *(Lysette Brochu)*, un état dépressif grave *(Julien Dunilac)*, le tunnel de la musique absente, et de sa quête, lien entre une vieille dame malade et son petit-fils *(Edith Habersaat)*.

Quelques tunnels fictifs sont des lieux à fuir absolument, celui du prétendu surhomme mis en échec par un humain mystérieux *(Pierrette Micheloud)*, l'impossibilité de sortir de l'enfermement qu'est notre prison *(Christian Milat)*, la lassitude d'Eurydice qui voudrait ne pas rester chez les vivants *(Louis Noreau)*, de ce photographe d'Ottawa traité sans égards et qui finit tragiquement *(Gilbert Troutet)*.

Enfin le lecteur aura la surprise d'un tunnel par ressemblance géographique, un lac dans la Gatineau, où le suicide par noyade d'un homme dans la soixantaine lui est refusé *(Jean-François Somain)*.

Le tunnel, contrainte, cheminement, protection, trajet d'une entrée à une sortie possible, voire aléatoire. Et aussi, tunnel consenti dont on ne veut pas sortir. Mille tunnels, et chacun d'entre nous fuit ou entretient ses propres tunnels. Telle est la condition humaine, notre condition, à laquelle nul ne peut échapper. Complexité, souvent inextricable de notre être-au-monde. À chacun d'assumer, ou essayer d'assumer son destin.

Jacques Flamand

Manifeste de l'artiste

KOUROS : Je curerai la terre jusqu'à l'os pour imposer implacable, l'empire total de l'homme sur l'homme, de l'homme sur sa mère la terre et je conduirai le troupeau affolé avec une verge de fer. J'extirperai toute velléité d'indépendance de l'esprit, toute volonté rebelle à l'instauration de mon empire dominateur. Je crucifierai tout l'univers du vivant sur l'autel de mon orgueil fou. J'écharnerai vivant l'homme et sa mère nourricière la terre pour atteindre à la pureté de l'os, celui de l'ordre moral du vainqueur, et malheur aux vaincus ! Je proclamerai venu le temps de l'éradication du mal et claironnerai à la face de la terre dévastée notre dogme absolu, fanatique ! « Notre Dieu est le seul vrai Dieu, puisqu'il est à nos côtés ! Mon empire est le seul avenir du monde puisqu'il domine la terre. »

KORÉ : Nous protégerons nos petits sur nos seins et nous les nourrirons du lait primordial. Nous réchaufferons leurs petits pieds et leurs petites mains au foyer ancestral et nous les laverons à l'eau cristalline des sources retrouvées. Nous monterons, en allaitant nos petits, vers le temple sacré qui resplendit au soleil levant sur le sommet des monts.

Nous cueillerons le lilas blanc et le jasmin d'hiver. Nous laverons nos pieds aux mousses des forêts. Nous rincerons nos chevelures avec le bois de santal et les oindrons de benjoin! Nous monterons ensemble vers le temple de nos ancêtres.

KOUROS : Je vous ferai porter nos armures et nos armes et ferai de vous des guerrières sans pitié. J'ôterai de vos sœurs le vase de la vie et clonerai à l'infini les noirs soudards de nos armées. Je vous métamorphoserai en matrices porteuses et en bêtes à plaisir et nous sodomiserons en famille vos enfants nouveau-nés!

KORÉ : À votre vengeance terrible, nous refuserons les jeux de notre amour et tarirons la fontaine de vos plaisirs. Nous sèmerons le froment aux lunaisons nouvelles et conduirons l'araire vers les soleils levants. Vos bœufs abandonnés tireront nos charrues et, le soir, à l'étable, leurs naseaux chaleureux réchaufferont nos corps fourbus et enlacés. Nous porterons le feu dans l'âtre de nos pères et cuirons le repas. Nos mains étaleront sur la pierre luisante la farine de mil et nous mettrons au four les galettes et le pain.

KOUROS : Je dépouillerai vivante la lourde tortue géante, car elle ne pleure jamais, et découperai vif le poisson argenté pour le manger pendant son agonie. Je concentrerai l'animal dans des usines à viande, nous l'y cloisonnerons et nous l'y sanglerons. Nos poules ne sauront plus la couvaison des œufs, nos plantes pousseront hors du sol ainsi que nos enfants. Les cadavres pourris serviront de pâture. Je nourrirai ainsi le vivant par le mort. Je ferai de la terre une usine d'acier!

KORÉ : Nous filerons la laine de l'agneau et celle de l'alpaga, nous tisserons des burnous pour nos fils, nous les en vêtirons après les avoir teints dans le sang de la terre.

Nous carderons la laine et la ferons chanter entre nos mains graciles au cosmos tournoyant du fuseau, au cycle du rouet. Nous tisserons pour l'amour une tunique immense qui n'a pas de coutures et, au soleil du matin, nous monterons au temple.

KOUROS : Je porterai la guerre jusque dans les étoiles et sèmerai sur terre des myriades de mines pour amputer nos fils ! Je marquerai les hommes jusque dedans leur chair et suivrai leurs ébats. J'écouterai tout, y compris leurs intimes pensées. Toute déviance sera ainsi jetée dans le brasier partout, sous terre, sur terre et jusque dans les cieux, je glorifierai Dieu, mon Dieu, le vrai Dieu.

KORÉ : Nous baignerons nos corps au lait de nos ânesses et teindrons nos cheveux de henné rouge sang. Nous ceindrons nos hanches et nos fronts avec le fil dor de l'antique Arachné. Nos tuniques diaphanes sécheront, constellées des pétales nacrés des roses de Corfou.

Alors nous porterons le feu de nos pénates dans des coupes de bronze et de cristal taillé, et notre procession, en gynécée cosmique, montera vers le temple qui couronne Ararat.

KOUROS : Je ferai régner partout dans l'univers ma rigide loi pour le Bien de tous. Je contrôlerai toute pensée humaine et assurerai ainsi le plus grand Bien de tous. J'infléchirai le fléau de la justice, de la juste balance. Qui ne sera pas avec moi sera détruit à l'instar de l'antique Carthage. Je ferai advenir de force le royaume de Dieu et ce sera le mien, éternellement !

KORÉ : Nous tressaillerons de joie dans le cœur de nos ventres à ces petits sursauts annonciateurs de vie. Cette chair prenant chair sera pour nous l'essence de nos chants de louange montant comme un parfum vers le temple sacré.

Alors nos sœurs saintes, tireront sur les grèves du lac des Hébreux, comme font les pêcheurs ramenant leurs filets, les linges du martyr.

KOUROS : Je poursuivrai sans fin notre guerre viscérale et sélectionnerai les champions héroïques chasseurs des vils démons de la terre et du noir Belzébuth. J'instaurerai l'empire mondial du Bien et Dieu, Dieu lui-même, sera fier d'être à mes côtés. Je régirai le monde sous un sceptre de fer !

KORÉ : Nous monterons en foule vers ce temple sacré ceints des linges sanglants des parturientes et ceux que recueillirent les sœurs, les épouses et les mères de tous vos martyrs depuis la nuit des temps. Nous monterons jusqu'à l'autel sacré dans ce fleuve de sang.

KOUROS : Ma puissance n'aura pas de limites. Je saurai tout, je pourrai tout et je discernerai le bon grain de l'ivraie. J'épurerai Dieu lui-même des antiques oripeaux du grand Pan et de la compassion, du Dieu faible, innocent, serviteur, du Dieu miséricordieux. Je ferai Dieu à mon image, à notre ressemblance, celle du camp du Bien et je précipiterai les âmes réfractaires jusque dans les enfers !

Tout sera total, tout sera épuré, tout sera consommé.

KORÉ : Nous coucherons sur la paille odorante le bébé nouveau-né au saint des saints du temple et nous le cernerons de nos anciens flambeaux, des coupes des vestales, des torches des druidesses.

Alors, nous danserons cette ronde cosmique où nos bras enlacés bercent comme les vagues et où nos pas alternent le sens des galaxies. Nous danserons pour l'enfant du soleil invaincu qui bénit notre terre à l'instant du levant !

François-Xavier Noir

Bernard Antenen

Noir tunnel de lumière

François-Xavier Noir *Noir tunnel de lumière* 2005

*La vulve : carrefour bruyant où se rencontre
l'humanité jasante,
tunnel par lequel passent les générations.*
Milan Kundera, *La Lenteur.*

Longtemps je me souvins de ma naissance. Je glissais par à-coups, tout enduit d'une chaleur moite. On me dit plus tard que l'entreprise avait été difficile. Je m'étais présenté à l'heure, certes, mais pas de la bonne manière. On avait vu là le signe inquiétant d'un esprit compliqué : «A-t-on idée, vouloir entrer dans le monde à reculons!» Je compris bien des années plus tard qu'on appelle «esprit compliqué» celui dont la simple existence perturbe celle des autres. La sage-femme avait dû me retourner. «Aujourd'hui encore, on ne sait jamais où tu as la tête!» Mais la sage-femme, en trente années de pratique, en avait vu bien d'autres. Et mon oncle, qui n'en ratait pas une, de commenter finement : «C'est la première qui t'a mis la main au cul!» Une fois à l'air libre je poussai le cri que l'on attendait de moi. Cri de douleur, m'expliqua-t-on par la suite, provoqué par le décollement des poumons. Mais j'ai toujours su, moi, que ce cri était de joie : il annonçait la victoire en France du Front populaire. Je précédais l'événement de quelques heures seulement, mais cela suffit à expliquer l'erreur d'appréciation des personnes présentes. C'était le dimanche 3 mai 1936 à une heure vingt de l'après-midi et la nouvelle de la victoire de la gauche ne fut connue que le lendemain.

«Un garçon!» clama mon père en rejoignant son beau-frère au bistrot d'en face. Il réprima à grand peine un «ouf» de soulagement :

sa femme, tout bien considéré, avait quand même accompli une grande partie du travail. Puis il commanda une bouteille de Dézaley, ce vin blanc qu'il affectionnait et qui, confia-t-il à mon oncle, avait favorisé ses ébats neuf mois plus tôt. «Je n'aurais pu concevoir sous l'emprise d'un rouge, avait-il commenté, cela aurait pu déteindre. Au fait, est-ce qu'on connaît le résultat des élections en France?» Comme on ne le connaissait pas encore, ils trinquèrent à ma santé.

J'étais sorti du tunnel, mais je l'ignorais, car je n'avais pas encore vu le jour. Lorsque j'ouvris les yeux – dont la couleur incertaine, nouvelle complication, suscita aussitôt une controverse entre mes parents –, lorsque j'ouvris les yeux donc, je ne vis rien. Mon appréhension du monde passait par la bouche. Ma première activité fut la succion. Peu à peu cependant ombre et lumière se mirent en place : j'allais pouvoir découvrir ce qui était après le tunnel. Des mois durant, des années peut-être, je regardai le monde infini de la chambre parentale, habité par des êtres immenses que je mesurais à l'aune de mes quenottes tournées et retournées sans fin devant mes yeux.

Bien des années plus tard, en confrontant nos souvenirs de naissance, nous convînmes, mes camarades et moi, que nous étions tous sortis d'un tunnel étroit et noir pour entrer aveugles dans un monde trop grand pour nous. Mais un tunnel, par définition, relie : le Nord et le Sud, l'Allemagne et l'Italie, la France et l'Angleterre, les forêts de sapins et les châtaigneraies, la bière et le vin... Il y a un *après* et un *avant* le tunnel, la découverte et le souvenir. À la fin du XIXe siècle, mon grand-père voulut voir les rives du Léman. Il quittait pour la première fois son village de Suisse alémanique. «À bientôt!» pensa-t-il en montant dans le train. Saisi par la beauté du panorama qui s'offrait à lui au sortir du tunnel de Chexbres – le vignoble vert et pentu, le lac Léman étale et miroitant, la côte savoyarde, les Alpes... –, il aurait, selon une légende partagée par bien des familles lémaniques, jeté son billet de retour par la fenêtre en poussant un cri de joie, qui résonne encore dans ma tête et que je tentai d'imiter à ma naissance, pour célébrer, non pas un paysage, si grandiose fût-il, mais l'avènement d'un monde nouveau. La réalité est sans doute plus prosaïque : mon grand-père était en quête de travail. Mais qu'importe, une légende n'a pas à être prouvée et la valeur symbolique de son geste m'est d'une évidence absolue : il avait coupé le cordon ombilical le reliant à son origine de sorte que nous ignorions tout de ce qu'il avait été *avant* le passage du tunnel. Nous savons seulement qu'il s'était trouvé là, contemplant le paysage comme un nouveau-né qui ouvre les yeux sur l'immensité du monde.

Qu'y avait-il *avant*?

Force fut de constater que nos souvenirs ne répondaient pas à notre interrogation. Seules quelques vagues sensations d'avant la sortie du tunnel affleuraient encore : une douce chaleur peut-être et des sons assourdis venus de très loin. Pas de souvenirs visuels : un monde sans lumière. Nous étions issus d'un trou noir.

Aussi, dès sa formulation, la théorie du big-bang trouva-t-elle en nous de fervents adeptes. À défaut de sensations et de souvenirs, elle nous permettait de comprendre ce qu'il y avait eu *avant* le trou noir : une fantastique débauche d'énergie, culminant en une gigantesque explosion, libérant elle-même des millions de particules se lançant aussitôt dans l'immensité utérine, en quête d'une improbable rencontre.

Saint Augustin n'aimait pas qu'on lui demandât ce que pouvait bien faire Dieu avant de créer le ciel et la terre. Il trouvait insupportable cette question que des gens «qui veulent boire plus qu'ils ne peuvent absorber» lui posaient «avec une curiosité coupable » : «Comment lui est venue la pensée de faire quelque chose, puisqu'il n'avait jamais rien fait auparavant[1]?» Je gardais à l'esprit la confidence de mon père à mon oncle sur le rôle du Dézaley dans ma

1. Saint Augustin, *Les Confessions*, traduction Pierre de Labriolle, Éditions Les Belles-Lettres, Paris 1926, t. 2, p. 325.

conception. Nous en parlions avec mes camarades. Cependant, toute extrapolation nous semblait hasardeuse : peut-on imaginer Dieu buvant du vin blanc en attendant de provoquer le big-bang ? Ou même de ce Coca-Cola, que nous sirotions en lisant saint Augustin ?

Les années passant, nous fûmes toujours plus titillés par l'envie de remonter le temps et de retrouver l'avant-trou noir, le moment de l'explosion. Il fallait pour cela emprunter le tunnel d'où nous étions issus, mais en sens inverse cette fois-ci. Ginette, de dix ans notre aînée, nous montra le chemin. « C'est divin, non ? » me dit-elle un jour. « Oui, répondis-je, mais je n'ai pas vu Dieu. » Elle pouffa : « Gros bêta, ce que tu peux être compliqué ! Tu ne peux pas prendre les choses comme elles sont ? » Je ne la considérais pas comme un objet, mais de ce jour je sus que j'appartenais aussi à l'ordre – ou au désordre – des choses. Lorsqu'elle me signifia mon congé – je t'aime bien, tu sais, je t'ai enseigné le solfège, à toi maintenant d'imaginer les variations –, l'émotion que j'éprouvai me montra que ce tunnel emprunté à rebrousse-poil – une trivialité sans limite régnait lorsque nous évoquions ce sujet avec mes camarades –, et où j'étais loin d'être le seul voyageur, m'avait relié, non pas à Dieu, mais à l'autre.

Cette découverte, que mes camarades firent aussi, certains un peu avant moi, d'autres un peu après, transforma la nature de nos conversations. Il ne s'agissait plus de répondre à la question qui irritait saint Augustin, mais de savoir, en comparant nos expériences respectives, comment obtenir le meilleur big-bang possible. Cette préoccupation était assurément égoïste et il était exclu que Dieu, dans sa bonté, l'eût éprouvée. Tandis que nous glosions sur la qualité du big-bang, nos compagnes attiraient notre attention sur ses possibles conséquences. « Es-tu prêt, nous disaient-elles, à prendre tes responsabilités ? » Un comble ! Est-ce que Dieu, lui, avait pris les siennes ? Cependant nous dûmes bien admettre l'insurmontable différence entre la Création, d'essence divine, et la procréation, de nature animale. Faute de prendre nos responsabilités, nous dûmes bien prendre des précautions, ce qui nous fournit à mes camarades et moi-même, un nouveau sujet de conversation.

Au fur et à mesure que nous avancions dans notre connaissance des origines de l'univers et de nous-mêmes, le souvenir de ma propre naissance s'estompait. Je le perdis complètement lorsque j'appris que des galaxies entières disparaissaient, absorbées par des trous noirs d'une densité telle qu'aucune lumière ne s'en échappe. Le sens de mon premier cri se brouilla. Je me mis à relayer les sornettes des adultes : mon premier cri était un cri de douleur. J'étais comme les autres. J'oubliai donc le Front populaire, avec l'aide de mes petits camarades qui avaient bien d'autres sujets de conversation. «Il faut regarder devant soi!» proclamaient les uns, «l'avenir est devant nous!» ajoutaient les autres. C'est bien pour cela, pensais-je, que la sage-femme m'a retourné. Nous nous mîmes donc à regarder droit devant nous.

Un espace infini s'étalait à nos yeux. Il était sans relief et vierge de tout objet. Seules étaient visibles, chaotiques, les ombres portées du passé entre lesquelles s'affairaient nos prédécesseurs auxquels nous nous mêlâmes inextricablement. Chacun devait tracer son chemin, qu'il fût rectiligne ou sinueux. Notre avance se fit en un ordre si dispersé qu'il ressemblait au désordre. Les uns partaient vers le haut, d'autres choisissaient le bas, certains prenaient la gauche, d'autres la droite. Nul ne savait où il allait, mais tous connaissaient l'impossibilité du retour. Nous nous perdîmes de vue tout en gardant parfois un contact téléneuronique. Quelques-uns cessèrent de répondre aux appels.

Certains d'entre nous se retrouvèrent l'instant d'une conversation. Ce fut, si ma mémoire est bonne, un pur effet du hasard : les sentiers des uns venaient à croiser les autoroutes des autres. Nous comparâmes nos expériences. Beaucoup n'étaient pas là parce qu'ils avaient tracé leur chemin dans d'autres espaces ou parce qu'ils avaient simplement disparu de notre monde visible. Nous eûmes une pensée émue pour eux. Nous reconnûmes partager une seule certitude : notre tour viendrait.

On avait évoqué, à propos des disparus, les fameux trous noirs. «Voilà ce qui nous attend tous!» avait lâché le plus désabusé d'entre nous. Il en était résulté une longue controverse qui n'eût pas manqué d'irriter saint Augustin, l'un de mes camarades ayant posé crûment cette simple question : «Si, par hypothèse, un trou noir absorbe chacun d'entre nous et même l'ensemble de l'univers, mettant fin aux effets du big-bang, que fera Dieu *après*?» Le plus optimiste de nous tous suggéra que le trou noir était peut-être, comme celui de notre naissance, un tunnel, et qu'un tunnel débouche toujours sur la lumière. À l'appui de ses dires il nous emmena à Bruges où, sans égards ni regards pour les multiples splendeurs de la cité, il nous traîna dans une chapelle de l'ancien Hôpital Saint-Jean. «Regardez!» nous enjoignit-il, l'index pointé vers le panneau de droite d'un retable de Hans Memling.

Un homme est assis sur un rocher. «C'est sur l'île de Patmos!» s'exclame l'un de mes camarades, lecteur assidu de l'*Apocalypse*. Il n'a pas de peine à identifier l'homme comme étant saint Jean l'Évangéliste en proie à une vision qu'il racontera dans le livre ouvert sur ses genoux. Cavaliers noirs et cavaliers blancs se battent au milieu des prodiges et des monstres, sur terre et sur les eaux, très loin, jusqu'à l'horizon où un arc doré s'élève de la mer. Devant lui, un pied sur les eaux, l'autre sur terre, se tient un ange aux habits bleus de nuées, un livre à la main gauche alors que la droite montre le ciel. L'arc doré évoque l'entrée d'un tunnel débouchant sur la blancheur du ciel. Un peu plus haut, là où le ciel se fait azur, se tient une femme de bleu vêtue, la tête couronnée d'or et les pieds ceints d'un croissant de lune. Un ovale de lumière l'entoure qui nous mène au delà du ciel. «N'est-ce pas là le contraire d'un trou noir?» nous interpelle notre camarade. Nous en convenons tout en lui faisant remarquer qu'il s'agit là de détails bien modestes en comparaison des deux cercles concentriques qui occupent le quart supérieur gauche du panneau et accaparent l'attention de saint Jean. Ces deux cercles aux couleurs de l'arc-en-ciel délimitent un nouvel espace, qui n'est ni de la terre ni du ciel. En son milieu trône, sur un fond de lumière, le Seigneur habillé de pourpre. Des vieillards musiciens, couronnés et vêtus de clair, le contemplent, adossés au premier cercle, sur le bord duquel un bateleur céleste nous invite à rejoindre les élus.

«Savez-vous, dit alors l'optimiste, ce que le Seigneur, dans son cercle éclatant, dit à Jean? "Je suis l'alpha et l'oméga, celui qui est, qui était et qui VIENT, le Tout-Puissant[2]." Ne pensez-vous pas que notre parcours puisse déboucher sur un champ de lumière?»

Certains l'approuvèrent, d'autres ricanèrent. «Restons lucides!» dirent ces derniers. Une vive discussion s'engagea. Que fallait-il entendre par «celui qui VIENT», – et non pas «celui qui sera»? «Et sa toute-puissance? Il en a fait un bien piètre usage à voir le monde autour de nous?» assénaient les uns. «C'est parce qu'il nous a donné la liberté!» rétorquaient les autres. Le ton monta rapidement. On évoqua saint Augustin. Des arguments furent échangés comme des horions. Tels des chiffonniers nous nous battîmes, à grands coups d'anathèmes. Le sang coula. La polémique promettait de durer ainsi qu'aux premiers siècles. Nous convînmes – ce fut bien là notre seul point d'accord – d'y mettre fin au nom de notre ancienne amitié. Nous nous séparâmes pour ne plus nous revoir.

J'arrivais au terme de mon parcours, je le sentais bien. De nombreuses questions m'assaillaient. Je n'avais pas de réponses. J'errais muni d'une seule certitude : les yeux aveuglés par le noir je serais seul à l'entrée du tunnel qui ne mène nulle part. Ah! voir encore le monde en sa beauté! J'appelai la sage-femme qui avait présidé à ma

---

2. *Apocalypse de Jean*, 1,8.

naissance. «Je suis arrivé les yeux fermés, lui dis-je, je veux partir en les gardant ouverts sur la lumière que je quitte. Retourne-moi donc comme tu le fis lorsque je me présentai!» Elle rit : «Ainsi donc tu veux partir comme tu es venu : à reculons!» Puis elle s'exécuta de bonne grâce. «C'est mon métier, dit-elle encore, mais ce que tu peux être compliqué!»

Je me tiens maintenant à l'entrée. Devant moi, dans mon dos, l'obscurité et l'oubli. Derrière moi, à mes yeux, le monde en sa fureur et en sa beauté, la liesse du Front populaire et la vision de saint Jean, le vin blanc de mon père et les impatiences de saint Augustin, les plaisanteries de mon oncle et le savoir-faire de la sage-femme, les leçons de Ginette et les disputes de mes camarades. Les tunnels de lumière de Memling étaient de ce monde, le noir aussi qui m'attend lorsque je fermerai les yeux. Où est-il, «celui qui VIENT»?

J'ai cherché Dieu, Il ne m'a pas trouvé.

Nicole Balvay-Haillot

L'entre-deux

François-Xavier Noir   *L'entre-deux*   2006

Dès qu'elle eut déposé ses bagages au comptoir de la compagnie aérienne et réglé les dernières formalités de départ, elle s'avança vers la porte. À l'écran, s'affichaient les heures des prochains vols : Los Angeles, dix heures vingt, Calcutta, dix heures trente, Bangkok, midi. Le sien était à onze heures. De ce monde offert à ses désirs, elle se dit qu'il lui faudrait toute une vie pour en connaître le millième. Encore plus, pour en décrypter le mystère.

Passeport, billet et carte d'embarquement en main, elle se laissa happer par le tube de plastique transparent, sas de lumière et de silence entre ceux qui partent et ceux qui restent. Autour d'elle, dans d'autres tubes, montaient et descendaient des silhouettes dont chacune glissait vers son destin propre et, passé cet unique instant, ne croiserait plus jamais le sien. Elle-même, silhouette anonyme et solitaire, à peine avait-elle posé le pied à l'entrée de la galerie marchande qu'elle se sentit matraquée par le brouhaha de cette tour de Babel et se hâta vers l'entrée de son satellite. Tandis que défilait le contenu de son sac à main sous le regard inquisiteur d'une caméra espionne, elle se prêta à la fouille au corps, sentit monter en elle une subite et étrange hostilité à l'égard du sbire en jupon qu'elle soupçonnait de nourrir de malveillantes intentions, sourit de son absurdité.

Dans le tunnel, elle savoura sa légèreté maintenant qu'elle se limitait à ses vêtements, son sac, ses papiers, ses stylos, son livre, son carnet surtout. Pas âme qui vive. Elle n'entendait que l'écho feutré de ses pas sur le tapis de caoutchouc noir qui avançait en même temps qu'elle. Depuis combien d'années empruntait-elle ce tunnel qui la menait de son pays d'origine à son pays d'adoption? Vingt ans? Peut-être plus. Elle n'aurait su le dire mais, dans le tube, elle avait noté qu'avec l'âge, la couronne de béton avait pris la couleur sale de millions de tonnes de résidus de kérosène laissés par des millions d'avions.

Des panneaux lumineux proclamant les beautés de la Ville lumière attirèrent son regard. Les Français étaient bien fous, se dit-elle, de faire la promotion de leur capitale en anglais dans cet entre-deux-mondes anonyme. Pourquoi pas en français? Pourquoi cette intrusion de l'anglais en terre française? Elle s'étonna de remarquer pour la première fois ces panneaux, sans doute là depuis longtemps, s'étonna surtout de ce frémissement de colère dans sa poitrine.

«Bizarre, se dit-elle. J'ai choisi d'étudier l'anglais pendant six ans et de travailler comme interprète. Personne ne m'y a forcée. Ni obligée à quitter la France pour le Québec, pire, pour une région où anglais et français se côtoient journellement. Cela n'a pas semblé me déranger, au contraire. Qu'est-ce qui m'arrive?»

Elle revit alors tous ces gens, jeunes ou vieux, fonctionnaires ou étudiants, sur lesquels d'innombrables heures d'enseignement du français avaient glissé comme pluie sur dos de canard, les entendit avouer le plus naturellement du monde : «*Sorry, I don't speak French.*» Cette candeur faussement naïve, cette ignorance d'une langue parlée pourtant par plus de huit millions de personnes en Amérique du Nord, il fallait bien qu'elle l'admette, elle ne la supportait plus! Elle supportait encore moins le défaitisme et la passivité des francophones, celle de cette secrétaire qui lui avait reproché de ne pas « *accommoder les anglophones* » en s'adressant à eux en français. Et voilà qu'on les *accommodait* dans ce tunnel. En France, à Paris... Elle en rageait !

Au moment même où elle songeait qu'en quelques minutes, *elle était entrée et sortie du tunnel*, aberration linguistique trouvée la veille dans le journal *Le Monde*, elle déboucha, aveuglée, perdue, dans une bulle de lumière. Les camionnettes Renault circulant en contrebas la ramenèrent à la réalité. Passer une semaine à Paris, enfermée dans une salle sans fenêtre, à traduire des conférences de l'anglais au français, voilà qui pouvait désorienter. Envahie, la France ! Les efforts de Jeanne d'Arc pour bouter les Anglais hors de France se soldaient par un échec, six cents ans après sa mort. Désormais, leur langue régnerait dans le monde entier, dans les recherches scientifiques comme dans le quotidien. Elle en voulut aux Français de cette soumission, de cette complaisance à l'égard de l'envahisseur, maudit cet universitaire qui avait parlé sans sourciller de son *spacecraft* et de la recherche qu'il *dédiait* à la planète Mars. Un jour, l'anglais envahirait le système solaire !

Elle s'assit sur l'un des sièges, se demanda quelle heure il était. Entre ciel et terre, sans montre, elle se sentait flotter, égarée dans un entre-deux, ni en France ni au Canada, pas plus à l'heure de l'une que de l'autre. Décidément, tout lui échappait : le temps, l'espace, la langue. Elle sortit son carnet, commença à écrire : *J'ai choisi d'étudier l'anglais pour gagner ma vie. Au lieu de l'anglais, cela aurait pu être l'allemand ou le russe, je ne voyais pas de différence, j'étais douée pour les études et les langues, mais je croyais qu'une langue étrangère me resterait... étrangère, extérieure à moi, comme le vernis appliqué sur un meuble de bois dont il ne change ni la structure* ni l'essence. Erreur! Je ne suis pas un meuble, plutôt une pâte malléable qui s'imbibe de ce qui l'entoure. J'ai aussi cru ériger un mur entre deux mondes, celui de mon travail et celui de ma vie intime. Autre erreur. Je n'ai certes jamais aimé ou souffert en anglais, j'ai même refusé d'accoucher en anglais, mais je suis pétrie de culture anglo-saxonne et cite Donne ou Milton plus facilement que Molière ou Malraux. Non seulement mon mur n'est-il pas étanche, mais j'ai de plus en plus de mal à concilier la nécessité de gagner ma vie grâce à ma connaissance de l'anglais et le souci de voir mes enfants grandir et vivre en français. Ai-je fait une autre erreur en quittant la France?

Ce que j'appelle l'agression de l'anglais me révolte, mais l'anglais et le français se sont interpénétrés depuis l'époque des Normands. Le mot tennis vient du français... Qui suis-je pour refuser que cela soit. Je peux bien refuser d'être linguistiquement hybride... et ça, tiens, n'est-ce pas une tournure directement inspirée de l'anglais? D'ailleurs, dire si ma mémoire est bonne est-il mieux que dire si j'ai bonne mémoire? Je ne sais pas, je ne sais plus. Ce que j'appelle agression extérieure, que symbolise cette enseigne lumineuse entrevue une minute, n'a de contrepartie que celle, tranquille, dont je me rends coupable et victime par mon adhésion librement consentie à trois cultures, la culture française de l'Hexagone, que je ne peux ni ne veux renier, la culture québécoise, que j'intègre sans m'en rendre compte un peu plus chaque jour, et la culture anglo-saxonne issue de mes études et de mon environnement. Comment le nier : il m'arrive de rêver en anglais.

C'est la peur qui a fait sourdre ma colère dans ce fâcheux tunnel, la peur d'arriver à un point de non-retour et de perdre ce que je crois être mon identité linguistique issue de l'Hexagone, qui est aussi mon image de marque. J'ai peur de devenir une

*hybride linguistique. Et alors? Une identité linguistique, et cul-
turelle, hybride, est-elle un bagage lourd à traîner ou une
richesse dont je devrais me glorifier? Je pourrais plutôt espérer
qu'elle fait de moi un être unique. Je pourrais même espérer
que, loin d'être menacée, mon identité, dont l'appartenance
linguistique n'est qu'une composante, a tout simplement évolué
et continuera de le faire jusqu'à ma mort.*

*Ce séjour en France me prouve ce que je savais déjà : je ne
suis plus chez moi dans mon pays d'origine, qui n'est plus
celui que j'ai connu autrefois, et pas non plus tout à fait chez
moi dans mon pays d'accueil. Mon pays, c'est moi, personne
complexe, unique, irremplaçable... partagée, multiple, à cheval
sur plusieurs cultures, ou à la croisée de plusieurs cultures. Je
peux me rebiffer; cela ne changera rien.*

Quand une voix invita, dans les deux langues, les passagers à embarquer, elle referma son carnet et sortit son livre.
Elle était heureuse d'avoir déniché sur les quais de la Seine la
traduction par Clara Malraux de *A Room of one's own*, de
Virginia Woolf.

Pierre-Antoine Bertoli

La rizière

François-Xavier Noir   *La rizière*   2007

I L N'AVAIT rien compris. Ce qui s'était passé depuis deux mois échappait à son intelligence. C'était autre chose, du domaine de l'ailleurs, non pas de l'improbable, mais de l'inconcevable.

Le crabe avait tout rongé, tout pourri; insidieusement, le cancer de l'amour perdu avait empoisonné l'arbre et le fruit. Petit à petit, l'oiseau de malheur avait défait son nid et quitté la branche sèche. Il ne restait plus que les feuilles mortes... qui se ramassent à la pelle... *Bonjour Tristesse!*

Le salon... ce qui avait été, il n'y a pas si longtemps, le salon, était là, autour de lui, vide, infini de solitude. Et comme la lumière électrique réverbérée par les murs blancs et par le parquet brillant lui était insupportable, il l'éteignit. Aussitôt l'appartement se trouva bigarré du reflet des mille éclairages que la vie nocturne moderne dispense en continu, la nuit jamais noire des grandes villes, les réverbères, les enseignes lumineuses, les véhicules, la signalisation routière composant comme autant de facettes d'un caléidoscope en mouvement perpétuel. Les feux, les feux... rouges ou verts, ou jaunes, ou bleus, bêtement éphémères, stupidement momentanés, clignotant jusqu'à générer une fibrillation exaspérante.

Il glissa jusqu'au balcon. Depuis que l'appartement était
vide, il ne marchait plus; le bruit de ses propres pas le dérangeait.
Il se déplaçait en mimant un patinage silencieux, une sorte de
reptation en position verticale qui lui donnait vaguement l'impression de léviter.

Il prit appui contre le mur latéral et se hissa sur la balustrade,
puis, par déplacements latéraux successifs, il en atteignit le
milieu. Il ne vacillait pas. Cet exercice, il l'avait fait de nombreuses fois, les jours précédents. Il savait comment éviter le
vertige en fixant l'horizon. Il lança sa jambe en direction du
vide et, utilisant l'énergie cinétique ainsi créée, il pivota d'un
coup et se trouva dirigé vers l'intérieur de l'appartement. Il répéta
ce mouvement rotatif une dizaine de fois, puis s'immobilisa
face à l'extérieur. Lentement, il pencha la tête vers l'abîme. Du
haut des huit étages il pouvait voir les automobiles en station-
nement au milieu des arbres de décoration.

Il se trouvait maintenant à une frontière. Par une sorte de
paradoxe bizarre dont il n'avait que vaguement conscience, la
mort était derrière lui, dans ce salon dénudé, dans cet appartement qui aurait dû être cocon protecteur, et la vie était devant
lui, au delà de ce gouffre mortifère, huit étages plus bas.

Il ne ressentait à vrai dire aucune pulsion suicidaire. Mais
il ne voulait plus habiter là. Il ne pouvait plus être là. Il voulait
quitter l'appartement, cet appartement dont il avait franchi la
porte... il y avait trois ans déjà, avec... avec celle avec qui il
voulait partager sa vie, qu'il pensait alors aimer toujours, et qui
l'aimerait aussi toujours... toujours... Il y avait eu le temps du
bonheur, le temps des fleurs et des rires, le temps des cerises.
Et puis le chiendent avait étouffé la capucine.

Debout sur son garde-fou, il trouva ridicules ces images
fleur bleue dont il n'arrivait pas à se détacher. Il se demanda

quel narrateur insidieux lui rebattait les oreilles de ces fadaises sentimentales. Il essaya d'en rire. Mais le rire était amer.

Il se souvenait d'elle. Son regard avait changé; elle regardait à travers lui sans le voir. Le cristal de ses yeux, de ses yeux magnifiques... le cristal s'était voilé d'une brume impénétrable qui ne lui laissait plus aucune prise. Elle s'était dissipée, elle avait disparu avant même de le quitter.

Et maintenant il voulait partir. Être ailleurs. Aller plus loin. Sortir du tunnel. Mais sortir par l'autre bout, ne plus jamais regarder en arrière, aller de l'avant, vivre de nouveau, rire et chanter, marcher sur l'eau, voler...

Il voulait partir, mais il ne le pouvait pas.

De nouveau il pivota plusieurs fois sur lui-même, regardant alternativement la nuit lumineuse de la ville et la pièce livide. Il voyait aussi par intermittence, au rythme de son étrange chorégraphie, le couloir noir qui s'enfonçait vers la chambre à coucher devant laquelle il fallait passer pour atteindre la porte d'entrée... la porte de sortie. Il tourna de plus en plus vite, jouant de ses bras comme un derviche tourneur. Et sa propre rotation lui faisait progressivement voir en ce couloir un tourbillon sinistre, un maelström mortel auquel il devait échapper à tout prix s'il voulait survivre.

Il lui apparaissait comme une évidence qu'il ne pourrait plus jamais passer par ce goulet, et qu'il lui serait désormais absolument impossible de franchir le seuil de la porte de l'appartement pour le quitter. Il ressentait maintenant avec acuité une sorte d'horreur à l'idée même de s'en approcher. Son âme était en danger de mort de ce côté-là.

S'en éloigner plus pourtant, dans sa position, signifiait qu'il ferait le pas de trop, qu'il accomplirait le grand saut. Son corps n'y survivrait pas. Il ne le voulait pas. L'idée de la chute, de l'impact de sa tête sur le bitume de la place du parking quelques dizaines de mètres plus bas, au delà de l'oubli et du dégoût, le révoltait. Il comprenait douloureusement que cela représenterait un incroyable et absurde renoncement à tout ce qu'il avait encore envie de vivre. Il rêva de voler, que le sol disparaissait mille mètres sous lui... mais que peut la poésie contre les lois de la physique? Imaginer des solutions techniques? Il lui restait suffisamment d'humour et de lucidité pour se rendre compte que toute tentative d'acrobatie se solderait par un échec à la fois grotesque et fatal. L'immeuble, de style moderne, n'offrait aucune aspérité salvatrice à laquelle s'accrocher, et si, au cinéma, il peut se produire que le beau jeune homme désespéré tombe de son balcon pour atterrir sur celui de la jolie voisine d'en dessous, dans la réalité crue qui était la sienne, la voisine d'en dessous avait l'apparence d'une grande faucheuse en robe noir goudron, et elle l'attendait huit étages plus bas.

Sa lucidité diminuait. Il n'avait plus mangé ni vraiment dormi depuis trois jours et la force qui lui permettait encore de tournoyer sur la balustrade était fournie par sa dernière réserve d'énergie vitale. Bientôt sa flamme s'éteindrait, il tomberait d'un côté ou de l'autre et, sans avoir vraiment choisi, il sombrerait soit dans la folie soit dans la mort.

Alors j'ai fait, moi, ce qu'en général, par principe, je m'interdis de faire : je suis intervenu. J'ai mis ma main devant ses yeux et j'ai voilé son regard, j'ai endormi sa conscience.

J'ai laissé pour cela la petite Vietnamienne qui pleurait à quatre pattes dans la rizière où elle avait perdu son âme. J'ai laissé à son sort aussi le clochard que l'alcool et la folie empêchaient de sentir le froid, dans son lit de cartons récupérés au fond d'un entrepôt désaffecté du nord du Québec. Et l'institutrice qui ne pouvait même plus mettre un pied devant l'autre parce qu'au bout de quarante ans de dévouement, elle avait reçu une gouailleuse raillerie en pleine figure et qu'un puits sans fond s'était ouvert en elle. Je les ai laissés à leur présent sans fin.

Je l'ai pris par la main; il est descendu de la balustrade, il a traversé la pièce et a pénétré dans le couloir; il a ouvert la porte et s'est dirigé vers l'escalier qui conduisait à l'extérieur de l'immeuble. Tout s'est passé pour lui comme si, à chaque pas, le tunnel se refermait derrière lui, rendant impossible la préservation dans sa mémoire de la moindre trace négative de ce vécu, en interdisant à jamais toute résurgence morbide.

À l'extérieur, ma main s'est faite air froid et il s'est réveillé en même temps que les premières lueurs de l'aube chassaient les démons de la nuit. J'ai cru à cet instant percevoir quelque ricanement dépité du côté du huitième étage. Il est parti sur le trottoir, sans se retourner et, arrivé au coin de la rue, toute une période de sa vie s'est transformée en passé.

Il marcha longtemps. Ses pas le conduisirent d'abord dans un quartier de petites maisons qui survivaient au milieu des immeubles imposants. Ici et là une fenêtre éclairée indiquait un réveil matinal. Il vit une bicyclette maladroitement poussée franchir un portail et s'éloigner en direction de la ville. Plus loin, le museau d'un gros chien qui dormait dans sa niche frémit légèrement à son passage et une oreillle se redressa, puis retomba aussitôt. Il marcha encore. Une dame âgée, tout emmitoufflée, sortit une poubelle et la roula jusqu'à un point de ramassage à quelques mètres de son jardinet. En se retournant elle le croisa. Elle le salua; il l'entendit dire à quelqu'un qui était resté sur le pas de la porte qu'il avait dû geler cette nuit sur la colline et peut-être même dans le parc. Une voix d'homme lui conseilla de vite rentrer se mettre au chaud.

Un bus le dépassa. Une camionnette qui essayait de démarrer, laborieusement, le moteur figé par le froid de la nuit, finit par crachoter quelques éternuements de fumée blanche avant de s'ébrouer. Une fenêtre s'ouvrit. Une main lança des miettes de pain dans un jardin; un corbeau solitaire s'avança et picora. Un chat guettait, mais le corbeau était bien gros et le chat prudent. Il quitta les petites maisons et atteignit les boulevards.

Après l'aube vint l'aurore.

Les grandes avenues conduisent les âmes errantes des lointains faubourgs au cœur des cités. Elles y trouvent une concentration et une animation qui les réconfortent et calment leur quête existentielle. Le promeneur ne se trompe jamais; il choisit toujours la direction du centre.

Il parvint ainsi à une place vers laquelle toutes les rues semblaient converger. Il posa le pied droit sur un banc et rattacha le lacet de sa chaussure. Non loin de là, un bistrot, dans lequel les travailleurs du petit matin avaient l'habitude de se rencontrer pour prendre un premier café, était déjà ouvert. Il y pénétra, s'assit et commanda un grand crème dans lequel il plongea avec jouissance un croissant dodu. La vie était bonne. À la table d'à côté, une postière, encore ensommeillée malgré la fringance que suggérait son costume neuf, faisait de même. Il en sourit. La jeune femme avait l'air gentille. Il regarda ses mains et les trouva émouvantes de délicatesse. Il pensa que le monde entier passait chaque jour entre ses doigts et qu'elle le redistribuait en bonheur – du moins c'est ce que sa bonne humeur retrouvée lui suggérait – dans les boîtes aux lettres.

Puis il s'aperçut qu'elle était jolie. Il aurait pu le lui dire; elle le comprit à son regard. L'instant était précieux. Il vit sur son porte-nom qu'elle s'appelait Marie. Il hésita; ses lèvres s'entrouvrirent, mais les mots restèrent à l'intérieur... Il ne fallait rien gâcher. Quand elle se leva, quand elle fut partie, il se promit de parcourir la Terre et de lui envoyer des cartes postales des quatre points cardinaux, adressées à Marie, la jolie postière du petit matin. Plus tard il lui parlerait. Plus tard. Peut-être... Si Dieu le voulait...

Il prit le journal et le parcourut. À la page des petites annonces, il remarqua un communiqué : on engageait à la Croix-Rouge, notamment pour l'Asie du Sud-Est. Des images de rizières embrumées lui traversèrent l'esprit.

Certaines voies sont dites impénétrables.

Claire Boulé

Des ronds dans le métro

François-Xavier Noir   *Des ronds dans le métro*   2006

CHAQUE FOIS, ça m'arrive. Des bulles lumineuses descendent vers moi, tout à coup, et je me réveille en sursaut. Toute cette lumière tombant d'en haut, goutte à goutte. Pourtant, c'est la nuit. Si je lève la tête et me penche un peu vers la fenêtre, j'aperçois un coin de ciel noir, parfois la pleine lune.

J'ai dû me rendormir presque aussitôt parce que, soudain, me voici en face de la grande murale rouge et bleue du terminus Honoré-Beaugrand dans le métro de Montréal. Autour, il n'y a que du béton gris et l'éclairage blafard des néons. Quand je refais le circuit vers l'ouest, le même phénomène se produit. De la lumière pleut sur moi et j'ouvre les yeux au moment exact où on entre dans cette station.

Est-ce que je prenais le métro ici, à Préfontaine, autrefois? Sans doute. On a déjà habité dans l'est. Comment en être sûr? J'ai quelques souvenirs très précis, très forts, mais il fait souvent plus sombre, au fond de ma mémoire, que dans le tunnel où le métro s'engouffre. Quelquefois, à travers le brouillard, il me semble discerner la silhouette de ma mère dans l'escalier roulant. Elle est accompagnée d'un homme qui pourrait bien être mon père.

En tout cas, je n'avais pas remarqué le plafond entièrement vitré de la station, au-dessus des panneaux percés de
trous.

Ces bulles lumineuses, je les voyais auparavant sur le mur
de ma chambre, le dimanche matin, lorsqu'il faisait beau. Neuf
ronds phosphorescents, je m'en souviens à cause du chiffre :
j'aime le chiffre neuf. Ils correspondaient aux petits trous par
lesquels le soleil entrait, le long des persiennes. Je les comp-
tais un à un. Et à côté, il y avait une autre rangée de quatre
ronds, dédoublés ceux-là, un halo plus pâle autour de leur
centre. Je n'ai jamais su d'où venaient ces quatre bulles. Au
réveil, elles étaient posées juste en face de moi, à la hauteur de
mon lit. Puis, petit à petit, à mesure que l'heure passait, les
ronds lumineux se déplaçaient; j'avais l'impression de voir
s'éloigner un train aux fenêtres éclairées, à demi cachées par des
rideaux, ou un paquebot dont les hublots disparaissaient très
lentement dans la brume. Il était tôt, je savais que je pouvais
dormir encore un peu avant de me lever pour préparer le petit
déjeuner en compagnie de ma mère. Mais je ne me rendor-
mais jamais, je me prélassais sous les couvertures, en regardant bouger les hublots. Quand ils avaient atteint le milieu
du mur et que le bateau s'était suffisamment écarté du rivage,
j'enfilais ma robe de chambre et me rendais à la cuisine. Ma
mère s'y trouvait déjà, en train de battre les œufs. Tous les
dimanches matin, on faisait des crêpes, une tradition de famille.

*

Au début, je prenais le métro à Sherbrooke, direction
nord. Par habitude, sans doute. Avant, c'était mon trajet quotidien, entre la maison et le bureau. Autour de la station, il y
a plein de gars qui traînent; beaucoup s'installent là pour la
nuit avec leurs couvertures et leurs chiens.

Sherbrooke, c'est la ligne orange qui passe par Jean-Talon et aboutit au terminus Henri-Bourassa d'où partent les autobus pour la banlieue. Je connais par cœur l'interminable couloir souterrain au carrelage brun qu'il faut emprunter avant d'atteindre la sortie. Au-dessus de l'escalier menant aux quais, on se retrouve tout à coup en face d'une grande fresque : on dirait deux chemins qui se croisent sur le mur. Je l'avais sous les yeux chaque matin quand je partais pour le travail, et chaque soir, à mon retour. Je ne sais pas pourquoi, ces deux chemins ou ces sentiers perdus dans une forêt de briques m'ont toujours fait frissonner. Peut-être était-ce l'idée d'avoir à choisir une direction plutôt qu'une autre, sans savoir vraiment où elle menait? J'imaginais aussi, qu'un jour, j'aurais à me séparer de quelqu'un que j'aimais. Encore maintenant, le souvenir de ce carrefour mystérieux, peint sur le mur, me donne la chair de poule.

Petit à petit, j'ai fait le circuit complet du métro. J'avais envie d'explorer des stations que je ne connaissais pas. La première fois que je suis descendu à Angrignon, l'automne dernier, j'ai eu une surprise : le paysage ensoleillé est venu à moi par le dôme vitré. Cette clarté brutale déversée sur les quais, au bout de la nuit du tunnel, m'a donné un choc. Le parc était là, tout proche; le rouge et le jaune éclataient dans les arbres, de l'autre côté des fenêtres. J'ai marché un peu le long des quais, monté un escalier... les couleurs étaient encore plus fortes en haut! J'en avais mal aux yeux. Je n'ai pas eu le courage de sortir. J'ai repris le métro suivant vers le centre-ville.

Je m'étais trop accoutumé au gris du béton.

À cette époque, je passais la nuit chez mon cousin. Mais l'appartement était petit, toujours rempli de monde. De plus, l'odeur du *pot* qu'il fumait, en compagnie de ses amis, me donnait la nausée. J'ai pris l'habitude de voyager le soir aussi.

Ainsi, je pouvais me reposer un peu et revenir par le dernier métro. C'était toujours ça de pris. De retour à l'appartement, je devais attendre que la foire se termine, aux petites heures. C'est à partir de ce moment-là que j'ai éprouvé un irrésistible besoin de sommeil. Un jour, j'ai décidé de laisser mon cousin fumer son *pot* en paix et je me suis trouvé un coin au carré Saint-Louis. Il ne faisait pas encore trop froid, heureusement. Comme je m'étais habitué aux bruits de la rue, je pouvais dormir des heures sur mon banc.

La moitié du temps dehors. L'autre moitié dans les tunnels.

*

Des ronds fluorescents me font des clins d'œil de chaque côté des panneaux publicitaires. Un énorme ballon à rayures rouges, bleues et jaunes rebondit jusqu'à moi. Non, ce n'est pas un rêve. Je le reconnais : mon vieil ami de la ligne verte, station Peel. Un ample cercle de couleur, rayonnant entre deux escaliers.

Des cercles, on en trouve partout ici. Sur le carrelage des corridors souterrains, sur les murs, à la sortie, derrière des piliers. Une sorte de course au trésor. À la hauteur de la mezzanine, il y en a un immense qui se met tout à coup à vibrer sous vos pas. Enfant, je le parcourais en sautant sur une jambe. Peel était pour moi un parc d'amusement rempli de ronds colorés, semblables à ceux que, inlassablement, je dessinais, dès que j'étais seul.

J'ai longtemps été petit. Lorsque nous allions faire des courses, maman et moi, les gens s'arrêtaient pour me dire bonjour, me caresser la tête. Ceux qui nous connaissaient se penchaient pour me parler :

– Ah! le beau petit garçon à sa maman!

J'étais blond avec de grands yeux bleus et j'avais toujours l'air de sourire aux anges. Plus tard, on s'est aperçu que j'étais myope. Je me montrais souvent distrait, un peu perdu. À l'école, personne ne s'est intéressé à moi, sinon pour m'appeler «le petit gros aux lunettes». Durant la récréation, je restais dans mon coin à regarder jouer les autres. J'adorais les jours de pluie, le vendredi surtout, on avait des activités libres. Je découpais des cercles dans des cartons. Quelquefois des formes ovales. Je les coloriais, le plus souvent en rose. Puis je les piquais de marques noires que je perçais de la pointe de mes ciseaux. L'enseignante qui surveillait les activités de midi, s'approchait, intriguée. «Qu'est-ce que ça représente?» me demandait-elle. Je ne répondais pas.

À la fin de la journée, je rapportais mes dessins à la maison. Le lendemain, s'il faisait beau, je m'installais en face d'une fenêtre, mon carton découpé devant les yeux. Je regardais dehors, sans mes lunettes, à travers les trous minuscules. D'abord, je ne distinguais rien, un brouillard seulement, des rayons blancs qui m'aveuglaient. Puis, j'apercevais un bout de ciel, la moitié d'un nuage, l'extrémité d'une branche d'arbre, un moineau perché sur un fil, à l'intérieur d'une lucarne miniature. Je me sentais à l'abri, derrière mon carton, un poussin dans son œuf! Un monde différent, découpé en petits morceaux pénétrait par les ouvertures que j'avais perforées. Cet oiseau, isolé des autres sur le fil, chantait pour moi seul. Ce nuage-là, derrière la plus haute branche, s'immobilisait pour me faire plaisir pendant que ses compagnons continuaient leur voyage.

Je passais des heures à fabriquer d'autres écrans de carton, à contempler de nouvelles images du monde, ce qui m'aidait à passer le temps. Maman était vendeuse dans un magasin, toute la journée du samedi. Pour la surprendre, avant qu'elle arrive, je sortais sur notre balcon, à l'arrière, et j'accrochais mes cartons en forme d'œuf sur la corde à linge. Je riais de les voir se balancer au vent. Maman aussi. Elle me disait en rentrant :

— Les voisins vont penser qu'on est déjà à Pâques!

*

Si j'avais pu choisir, je me serais payé le train. On roule beaucoup plus longtemps. On peut s'installer à son aise, s'assoupir dans des sièges confortables. Le métro de luxe! Le long de la voie ferrée, l'hiver, il n'y a pas grand-chose à voir. De la neige qui essaie de fondre entre deux tempêtes. La route est grise, les autos couvertes de poussière et de boue. En ville, c'est pareil. Des trottoirs glacés, des rues mornes. Du béton partout.

Depuis le début de l'hiver, je ne sors plus. Après mon aventure au terminus d'Angrignon, quand je me suis rendu compte que je n'étais plus capable d'affronter la lumière du soleil, j'ai choisi de passer la plus grande partie du temps à la station Champ-de-Mars, de nuit comme de jour. C'est mon pied-à-terre. Je l'appelle la station des aurores boréales, à cause du vitrail. Adossé à la haute colonne au pied de l'escalier, je n'ai qu'à lever la tête vers les baies vitrées entourant la mezzanine pour les apercevoir. De grandes figures qui dansent. Elles ressemblent à des planètes ou à des vaisseaux spatiaux. Elles se déplacent en un mouvement de spirale, bleu, rouge, vert, jaune ou violet. La nuit, on ne distingue pas les couleurs, mais leurs formes se découpent sur le ciel. Je sens leurs vibrations, je reçois leurs ondes, je les entends bouger dans le silence quand le claquement sec des tourniquets, des machines à poinçonner, et le martèlement des pas a cessé, qu'il n'y a plus personne pour dévaler l'escalier et que la rumeur des trains s'est éteinte. C'est une musique étrange, aux sons aigus par moments et graves à d'autres. Une musique ou un chant? Un chant très doux modulé par une voix de femme où chaque note distille de la lumière colorée. J'imagine une sorte de sirène du cosmos, égarée dans notre atmosphère et qui appelle en vain ses compagnes. Et moi, de l'autre côté des carreaux de verre, je lui réponds.

— Tu parles encore tout seul, me dit Paulo, en passant.

Paulo c'est le patrouilleur. Il ne m'embête pas. Grâce à lui, j'ai pu me trouver un coin pour dormir dans la station. On s'est connu à la fin de l'automne dernier. Il devait pleuvoir à boire debout ce soir-là : j'ai remarqué que les gens portaient des imperméables ou des coupe-vent mouillés. Plusieurs tenaient à la main leur parapluie encore dégoulinant. Je revenais de Berri, la station voisine, où j'avais eu droit aux sandwichs et aux gâteaux rassis, dont me fait cadeau le gérant de la tabagie, en début de semaine. Tout le monde semblait pressé de rentrer. J'ai été le seul à descendre à Champ-de-Mars. En fin de soirée, ici, durant la semaine, il n'y a plus personne sur les quais. Je me suis dirigé vers l'escalier qui mène à la mezzanine. C'est là que je l'ai vue, dans l'encoignure bleue, au pied de la dernière marche. Ce sont les taches de rouge sur les carreaux de céramique du mur qui m'ont d'abord accroché les yeux. Un rouge opaque, presque noir, pas du tout celui des spirales translucides dont j'aime tant le reflet durant la journée. En dessous, à ce qu'il m'a paru, traînait un imperméable beige abandonné. Or, à l'intérieur de cet imperméable, il y avait un corps, j'en ai pris conscience l'instant d'après. Un pauvre corps de femme d'où s'échappait un gémissement sourd. Elle était étendue là, à mes pieds et paraissait souffrir affreusement. Quelqu'un l'avait attaquée, quelqu'un l'avait projetée contre le mur. Qui avait fait ça? Pourquoi? Je suis resté figé un moment. En me penchant, j'ai aperçu des fils blancs dans les cheveux de la femme. Je l'ai encore entendue gémir et, comme un éclat de glace pénétrant dans mes poumons, j'ai senti une douleur aiguë. Un grand cri est sorti de moi :

– Maman!

C'est le seul mot qui me venait à la bouche. Je pleurais, les bras ballants, sans rien faire et répétais :

– Maman!

Les minutes ont passé. Puis j'ai levé la tête; un objet noir s'est détaché sur le mur, de l'autre côté des rails : le téléphone d'urgence, celui dont se servent les agents de surveillance du métro. J'ai dit doucement :

– Attends-moi là, maman, ce sera pas long!

J'ai monté l'escalier à la course pour traverser la mezzanine et rejoindre le quai d'en face. J'ai téléphoné; dix minutes plus tard, Paulo est arrivé, puis un autre patrouilleur. Un peu après, la police et l'ambulance. On a mis la femme sur un brancard. Elle ne se plaignait plus. J'ai entendu les ambulanciers parler d'arrêt cardiaque. Je ne sais pas s'ils ont réussi à la réanimer.

J'ai bien peur que la femme que j'ai appelée «maman», cette nuit-là, soit morte, à l'heure qu'il est...

*

Un peu avant de perdre mon emploi, du haut de l'immeuble où je travaillais, je m'étais mis à observer la circulation sur le boulevard. Des piétons, des autobus, des véhicules de toutes sortes. Le flot n'arrêtait jamais. J'en avais le vertige! Où se rendait donc tout ce monde? Qu'allaient-ils retrouver? Leur travail, leurs amis, leur femme? Qu'est-ce qui comptait pour eux, en cet instant? Leur vie était-elle lisse et bien organisée ou pleine de nœuds et de complications? Moi, je me sentais seul, impuissant, derrière la façade vitrée du bureau. À la pause café, l'envie me prenait de téléphoner à la maison pour entendre la voix de ma mère. Brusquement, je me souvenais qu'elle était partie. J'appelais quand même, espérant que, par miracle, elle serait là. Je laissais sonner les quatre coups dans l'appartement vide, puis le répondeur se mettait en marche. À l'autre bout du fil, j'écoutais le son de ma propre voix. Il m'arrivait de laisser un message, pour donner le change, pour montrer aux autres que je vivais avec quelqu'un. Je disais par exemple :

— J'arriverai un peu en retard pour souper, je vais descendre à Jean-Talon faire le marché. À ce soir.

En fin de journée, je m'arrêtais au marché et j'achetais les fruits et les légumes qu'elle aimait. En rentrant, je criais à tue-tête : « C'est moi! » dans l'espoir qu'elle viendrait m'accueillir. Au fil des jours, les fruits se gâtaient, puis les légumes. Je finissais par les jeter.

Après, ça été le tour des parfums. Ensuite, celui des vêtements. Les commis du rayon des dames, à la Baie, ne demandaient qu'à me conseiller :

— De toute façon, si ce n'est pas sa taille, votre mère pourra toujours revenir essayer autre chose. On fera un échange. En autant que vous conservez la facture...

Plus tard, j'ai renouvelé l'ameublement de sa chambre, fait changer les rideaux, repeint les murs.

À la fin, je passais le plus clair de mon temps dans les magasins.

Un soir, en montant l'escalier du terminus Henri-Bourassa, je me suis arrêté devant la grande fresque. Les deux chemins se croisaient toujours au milieu du mur de briques. À les regarder de plus près, ils avaient plutôt l'air de deux arbres déracinés par des vents violents. J'ai pensé à la lumière éblouissante qui m'attendrait à la sortie. Aux dernières lueurs roses du couchant dans l'appartement désert. Brusquement, j'ai franchi la passerelle en courant et redescendu les marches de l'autre côté, bousculant les gens sur mon passage. Une autre rame de métro repartait vers le centre-ville. J'ai eu tout juste le temps d'y monter avant que les portes se referment.

L'instant d'après, je m'enfonçais de nouveau sous la voûte du tunnel.

Lysette Brochu

Coma

François-Xavier Noir   *Coma*   2006

D EPUIS très longtemps, je me retrouve dans une sorte de nuit inquiétante, dans un mode d'existence étrange, affolant. Je ne sais plus ni le début ni la fin de mon histoire, sans avant et sans après, temps effacé. Je ne suis ni ici, ni là. Présent et absent à la fois. Mes projets d'hier sont en miettes, mon avenir au bout de l'éternité. Rien ne bouge, rien ne change, je suis sorti de l'ordre cosmique, en plein chaos, au centre d'une grande vacuité.

On raconte que j'étais en vacances, assis à l'arrière d'une voiture qui a dérapé, là où la rue s'incline et s'enfonce dans un tunnel d'environ cent cinquante mètres de longueur, au-dessus duquel passent des voies de chemin de fer. Il paraît que c'est aux abords de ce tunnel, presque à son entrée, qu'a eu lieu l'accident. Notre automobile, dans laquelle nous étions cinq jeunes, chantant à tue-tête, ivres de vitesse et de vie, a percuté un des murs de ciment.

Moi, solide gaillard de plus de six pieds, j'ai subi un violent choc, ma tête s'est fracassée contre la vitre, mon cerveau a été blessé, ébréché, secoué, et mon cœur a cessé de battre.

Humpty Dumpty était assis sur un mur;
Humpty Dumpty est tombé et s'est cassé la figure;

Tous les chevaux et les soldats du Roi
N'ont pu l'aider à se remettre droit[1]...

Projeté hors de moi, je passais calmement d'une vie à l'autre lorsque les bras des ambulanciers m'ont tour à tour administré des stimulations violentes, des gestes de premier secours, afin de me ramener à la réalité. Silencieusement, mes amis mourants ont continué vers la lumière, vers le point de non-retour, de l'autre coté des choses, et moi, j'ai reculé, suivi un fil d'argent à une vitesse vertigineuse pour aller réintégrer mon corps gisant sur le brancard. Orage et tonnerre! Voyant mon dos se cambrer et mes avant-bras se dresser et s'abaisser, les urgentistes ont deviné mon état et m'ont alors inséré une sonde pulmonaire afin de m'oxygéner par un respirateur branché directement dans ma trachée.

«*Il a les pupilles dilatées, c'est un mauvais signe...*» répétaient les blouses blanches.

Me voici depuis entre le sommeil et la mort, ma vie insipide maintenue d'heure en heure, de jour en jour, par des tubulures compliquées. Relié par des fils et des tubes à des appareils multiples, plaqué contre mon matelas, inerte, sourd, aveugle et muet au monde des terriens, dans un coma profond, je suis un homme-araignée écrasé d'impuissance dans mon lit d'hôpital.

Par la pensée, je ressens et perçois quand même le milieu qui entoure ma solitude. Derrière mes yeux clos, je me tiens debout, de face, les mains derrière le dos, dans mon espace transitoire, une voie sans issue, un no man's land. Un chien errant jaune survient, se couche à mes pieds, un gardien, mon

---

1. Lewis Carroll, *De l'autre côté du miroir*, 1871. Site internet : Lewis Carroll et la musique par Alexandre Révérend, http://reverend.club.fr/carroll/index50.html

partenaire, couleur de soleil, une clef suspendue à son cou, et je sais que je ne suis pas seul, que je peux encore ouvrir ou fermer des portes à ma manière.

Parfois, lorsqu'une image de berceau vide vient me hanter, je devine ma mère au visage inconsolable, qui veille sur mon souffle de vie. Elle a coupé une mèche bouclée de mes cheveux qu'elle porte dans un pendentif en forme de cœur, avec loqueteau, comme si cette relique pouvait éloigner l'horreur. Elle me serre la main, embrasse mes poignets, m'étreint sur sa poitrine, me tamponne le front. Puis, elle me lit des vers. Mes oreilles ne savent plus écouter, mais la poésie de Verlaine résonne et perdure dans le tunnel du repos; la musique m'atteint, mon pouls s'excite, je deviens flamme dansante.

> *Elle est en peine et de passage*
> *L'âme qui souffre sans colère [2]...*

Mère crie aussi : « *Gabriel, reviens mon fils. Ne me laisse pas dans ma détresse. Souviens-toi de ta sœur, au cœur dévasté par le chagrin, de ton père perdu dans l'angoisse derrière le voile noir de ses yeux. Gabriel, toi qui aimais rire, mon enfant au grand cœur, chair de mon sang, où es-tu? Ne t'engouffre pas davantage dans ce tunnel de la mort. Agrippe-toi! Reprends ton histoire. Ta belle fiancée t'attend... Je vois les tracés de ton esprit sur cette machine cruelle qui menace toujours de s'éteindre. Je sais que tu es là. Tu ne peux pas partir! Viens revivre parmi nous!* » Je ne réponds que par des sons gutturaux.

Je sens que j'effraie la jeune infirmière par mon grognement animal, terrible à entendre, mes contractions sauvages et

---

2. Verlaine, «Écoutez la chanson bien douce », dans *Sagesse*.

mes grimaces. J'imagine qu'elle doit lutter contre ce monstre qui gémit et halète, et faire ses preuves, dominer ses peurs. Peut-être comprend-elle que je protège le secret du passage par les ténèbres qui précèdent l'entrée dans la lumière? Peut-être aussi qu'en vainquant l'ennemi, elle croit me voir me transformer en prince comme la princesse du conte qui déjoue la vigilance du dragon. Je suis le prince au bois dormant.

Parfois, comme si je me trouvais sur un plateau de tournage, que je sautais en plein milieu d'un film, je voyage en observant les différents plans, les prises de vue en séquences simultanées. Alors, bravement, j'entreprends d'ouvrir les douzaines de portes du tunnel dans lequel je suis pris. Je commence par une porte entrouverte et, immédiatement, je suis très petit, enfermé dans un coffre. Odeur d'encens et de parfum de cèdre. C'est Noël...

Douce nuit, sainte nuit
Dans les cieux, l'astre luit.
Le mystère annoncé s'accomplit.
Cet enfant sur la paille endormi,
C'est l'amour infini [3].

Une autre porte à franchir. Sésame, ouvre-toi! Mon cœur bat à tout rompre. Je suis à la campagne, chez mon oncle. Odeur de blé fraîchement coupé. Retour soudain à nulle part. *Coupez!*

Une de mes tantes est là! Doux baiser, pansement sur ma joue. Parfum de lavande. Et puis plus rien.

On entre un tube dans mon nez, dans mon œsophage. Image d'une oie gavée.

---

3. *Stille Nacht, heilige Nacht,* paroles, Joseph Mohr; français, père Barjon; musique, Franz Xavier Gruber, 1818.

Non !

Je suis une plante qui boit son eau.

Mes racines ont accès à l'eau, dit Job, la rosée se dépose la nuit sur mon feuillage [4].

Je pense : «*Retirez ce tube*», mais personne ne m'entend. Un clinicien, mon geôlier de l'heure, m'alimente sans mon consentement, calme ma sensation de faim.

Laissez-moi aller ! Ne comprenez-vous pas que mes rêves ont été réduits à néant, que je n'ai aucun intérêt à revenir ? De grâce, lâchez prise.

Vers le ciel, mon cri, sans écho.

Arrive un autre clinicien à la main plastifiée qui s'acharne sur moi. Il tape et tape dans mon dos. Clap, clap, clap ! Je ressens son insouciance. J'ai froid. Mes poumons toussent.

De loin, la voix de la mer, amère, ma mère : «*On va t'opérer Gabriel, enlever l'eau qui s'accumule et comprime ton cerveau... et le sang, il y a hémorragie...*» Je coule, je me noie. Je vogue au gré des vagues, parmi les dauphins qui viennent me frôler, me toucher. Ballet de douceur et de beauté. Leurs sons, leurs vocalises et leurs chants rythmés me rassurent. Peut-être suis-je méduse échouée sur la grève...

On a rasé mes cheveux en couronne. Ah ! Je suis clerc, agenouillé dans une flaque d'eau et je prie.

Un ours me griffe. Un maître de lumière lui offre du miel. L'ours danse ! L'ange se tourne vers moi. Il attire mon âme comme un aimant séduit une pièce de métal et, bientôt, je me sens aspiré par son énergie. Il m'offre un mimosa au jaune éclatant, ou est-ce une rose d'or ? Je sors de mon tombeau et avance vers l'aurore..

---

4. *Job*, 29,20.

... et puis le chagrin d'amour de ma bien-aimée me retient, me ramène, m'ôte ma chance d'évasion. Laissez-moi revenir Dieu mon Sauveur! Je reprends mon rôle de dormeur. Piaf d'une voix rauque, se lamente...

> *Mon Dieu! Mon Dieu! Mon Dieu!*
> *Laissez-le-moi*
> *Encore un peu,*
> *Mon amoureux!*
> *Un jour, deux jours, huit jours...*
> *Laissez-le-moi*
> *Encore un peu*
> *À moi* [5]...

Mon cœur se contracte!

Je me souviens de ma naissance, de ma peur de passer du milieu utérin au monde terrestre, du sentiment de délivrance éprouvé lorsqu'on m'a tiré dans la cohue d'un monde de clarté quasi insoutenable, mais habité par des personnes heureuses de m'accueillir.

Suis-je pour toujours condamné au couloir de la vie, au couloir de la mort? Les forces contraires se disputent mon âme et, jouet de ce voyage inachevé, j'attends la traversée.

---

5. *Mon Dieu,* paroles, Michel Vaucaire; musique, Charles Dumont, 1960.

Julien Dunilac

Le bout du tunnel

François-Xavier Noir   *Le bout du tunnel*   2006

L'AVANT-DERNIER jour de mai. Première belle journée depuis combien de semaines? Ils ne savent plus. Quel fichu printemps. Rien que la pluie et le froid, à part quelques jours de soleil et de chaleur à fin mars, le temps de faire fleurir prématurément l'abricotier et, pour les abeilles, de butiner le pollen avant le retour de la neige et du gel.

Il fait bon. Ils prennent le café sur le balcon, suspendu comme une nacelle dans l'espace, dans la bulle d'air cristallin enrobant le paysage. Entre les bouquets d'arbres, la ville semble saisie par une vue aérienne, avec ses maisons et la géométrie de ses rues, bordée par les rives rectilignes du lac et les deux bras des jetées du port en forme de berceuse. Une petite bise hérisse l'eau de vagues nerveuses. Au dessous du balcon, après la terrasse et ses plates-bandes de roses, dont les premières s'épanouissent, le verger descend en pente jusqu'à la voie du chemin de fer.

Un paradis où ils ont la chance de couler ce qui devrait être les jours heureux de leur retraite. Le temps n'approche-t-il pas où une dernière fois ils verront fleurir leurs arbres, en cueilleront les fruits, les transformeront en gelées transparentes et en confitures succulentes? Leurs enfants? Longtemps déjà qu'ils volent de leurs propres ailes, leurs intérêts fixés au loin.

Paul n'est pas enclin à se poser des questions sur un avenir qui présuppose sa propre fin. C'est plutôt Judith qui l'inquiète. Elle a petite mine et ne parvient pas à reprendre le dessus. Elle, si loquace, il faut maintenant lui tirer les mots de la bouche. Comme l'ombre d'elle-même, elle demeure les bras ballants, les yeux dans le vide, sans penser à boire le café qu'il a servi.

— Il n'y aura pas d'abricots cette année, ni de pruneaux, ni de pommes, lui dit-il.

Et, comme elle ne réagit pas, il ajoute :

— J'ai fait le tour du verger, ce matin. Rien d'autre n'a noué que les coings et les cerises... tu m'entends?... tu m'entends?

Elle doit faire un grand effort pour sortir de sa léthargie, soulever une montagne d'indifférence, traverser un désert de silence. Finalement, elle lâche, comme à regret :

— Tant pis...

Non, je ne t'entends pas. Je n'entends plus rien ni personne. Plus de temps. Plus de couleurs. Plus rien à attendre. Impossible même de dire «je». Il n'y a plus de «je». Il est sorti de moi, me laissant vide comme une coquille de noix. Plus d'hier. Plus de demain. Le tunnel et la nuit. Les mains vides. Paul me dit... mais qui est-il, de l'autre côté de la vitre qui me sépare de tout? «Tu vas voir bientôt le bout du tunnel.» Et après? un autre tunnel? Je suis si fatiguée. Ne plus pouvoir dormir autrement que par ces absences nauséeuses provoquées par les médicaments. Ces réveils qui n'en sont pas, simples retours à la vision d'un monde plat et incolore. Souffrance? Même pas. Le néant éveillé. Il faut vous secouer, reprendre courage, la vie est belle! J'écoute sans comprendre le sens de mots qui ne me touchent plus...

— Eh bien, si tu le dis! Tu as raison, on achètera des confitures. D'ici là, tu verras, tu seras guérie.

*La gaîté. La guérison, est-ce que j'y crois moi-même?
Depuis des mois, Judith est comme une noyée que je retire du
fleuve et qui replonge dès que je lâche prise. Je ne la reconnais
plus. La cause de cette dépression qui lui est tombée dessus sans
crier gare? Personne ne la connaît. Et encore moins comment
l'en tirer. La dépression? Un désert qu'il faut traverser. Juste
au moment où tout se présentait pour nous sous les meilleurs
auspices. Les enfants hors du nid. Les voyages en perspective.
La Chine, dont je rêve depuis longtemps. Judith... Judith...
Comment est-ce possible? Elle, si vive, si enjouée, si active. Du
jour au lendemain... une absente parmi nous, sorte de momie
sans bandelettes et sans âme. Le plus pénible, cette sorte de
paroi vitrée qui la sépare de nous. La souffrance de la voir si
proche, mais hors d'atteinte.*

*L'hiver a été terrible. Le froid et la neige. Judith refusait de
sortir. Évidemment, pas question d'arpenter les pistes de ski de
fond du Jura, comme nous le faisions chaque année. J'avoue
que cela m'a manqué. Le contact avec cette région est pour moi
une nécessité vitale. J'aime ce pays, dernier refuge du silence
et de la solitude, antidote contre la rumeur croissante de notre
temps.*

*Judith s'y soustrait à sa manière : le tunnel. Une sorte de
brume l'entoure. Elle ne rit plus. Ne parvient pas à sourire,
même quand elle s'y efforce. Son regard s'est tourné vers l'intérieur. Comment faire pour la sortir de là? Je prends sur moi
les charges ménagères. Pour elle, si gourmande, je tente de
mijoter les plats qu'elle aime, bœuf miroton, salades diverses,
poivrons poêlés, filets de julienne. Elle y touche à peine. Nos
belles nuits partagées ne sont plus qu'un souvenir. Étendu sur
mon lit, je la sens si lointaine à mon côté, recroquevillée sous
le drap, sourde à ce qui l'entoure, sans pensée.*

Un hélicoptère survole la ville à grand bruit de moteur et de pales. Judith demeure la tête basse, impavide. Paul l'invite à lever le nez :

– Regarde, il est là! dit-il, pointant l'index dans la direction de la grosse libellule.

Il prend sa main dans la sienne, la caresse. Elle est inerte. Une main étrangère, presque d'une morte.

C'est affreux, elle pourrait mourir au moment où la vie nous sourit en s'ouvrant devant nous, riche en promesses de découvertes. Ces choses-là n'arrivent qu'aux autres. Je le pensais. Les morts du tsunami d'Asie. Pris en traîtres par un océan soulevé par de monstrueuses turbulences sous-marines. La mort recourt parfois à des stratégies brutales, sa façon de nous rappeler les grandes tragédies bibliques, Sodome et Gomorrhe. Combien de touristes pédophiles, clients d'agences de voyages dévoyées, précipités dans les flots?

Et nous, qu'avons-nous fait pour mériter la chute de Judith dans les ténèbres inférieures? Il n'y a pas d'effets sans causes. Quelle erreur? Quel manquement à la compassion? Je la regarde. Le soleil a un peu tourné, maintenant à la perpendiculaire de la flèche de la tour ouest du château. Ah! Que j'aimerais me réveiller de ce cauchemar et que tout redevienne comme avant.

Un long train de marchandises passe au pied du verger. Le remblai en pente de la voie fait monter jusqu'au balcon un assourdissant bruit de ferraille. Une corneille se pose sur le cerisier, croassant à qui mieux mieux. Une autre la rejoint, lui donnant la réplique. D'ici et là en ville, parviennent des rumeurs de chantiers. Des voiliers croisent sur le lac, coupant parfois la route à un bateau à vapeur. Le réseau des faits et gestes d'un jour de semaine, à la différence près que le beau temps revenu enjolive toutes choses.

— Je te sers encore du café?

Elle se borne, lassée, à faire non de la tête. Il n'ose pas lui tendre la coupe de biscuits.

Je le désespère. Il fait de son mieux. Je m'en rends compte, mais ne puis agir autrement. Le moindre mot à prononcer me semble une épreuve, le moindre geste une montagne à déplacer. J'ai froid. Ce soleil est mortel. La ville n'est plus habitée. Sommes-nous les derniers survivants? Je m'appelle Judith. Judith, vous entendez? Personne ne répond. Il faut dire mon nom très vite pour lutter contre son effacement...

Paul débarrasse la table. Il remonte ensuite le store avec sa belle toile à bandes vert pâle et grises. Judith se couche et ferme les yeux, feignant le sommeil. Dans sa chambre à la lumière tamisée par les volets mi-clos, elle repose sur le lit, objet fragile, gisante d'une église médiévale, prisonnière d'un temps mort.

Quand Paul se couche à son tour, il fait nuit. Pas le travail qui a manqué. D'abord de l'ordre à mettre dans la maison, puis la liste des paiements du mois à porter à la banque. Ensuite, il a préparé, sachant que Judith les aime, des aubergines coupées en tranches avant d'être enrobées d'une pâte à crêpe, et cuites dans la grande friteuse.

Quand il les lui a apportées, fumantes, sur le plateau, elle n'a pas tourné les yeux vers lui. Il a dit doucement son nom. «Judith, Judith», éprouvant une fois de plus un sentiment d'impuissance devant le poids de cette absence.

Il a donc dû se résoudre à manger seul, puis à laver la vaisselle, terminant tout juste à temps pour regarder le journal télévisé du soir. Ensuite, il a rêvassé sur une chaise longue, sur le balcon, face au vertigineux ciel nocturne. Faisant le vide, chassant de son esprit l'écho des turbulences agitant le monde, il s'est laissé aller à goûter un surprenant moment de paix. Il lui semblait être à l'unisson avec les battements du cœur de la ville qui, montant vers lui, l'apaisaient étrangement. Il y vit un message de paix qui, dans son esprit, était de bon augure aussi pour un retour de Judith à la santé.

Maintenant, étendu à côté d'elle, sur le lit jumeau, il se dit qu'il a été victime d'un mirage.

Elle ne dort pas. Elle respire à peine. À quoi pense-t-elle? À rien, j'en suis sûr. La sentir là, inerte comme un minéral, est insupportable, un vrai calvaire. L'envie de la secouer jusqu'à ce que s'allume la flamme de ses yeux, jusqu'à la voir briser sa prison de verre et en sortir!

Elle ne sait pas que je la mène demain consulter le professeur Hans-Peter Knaubühl, chef de la clinique psychiatrique universitaire de Zurich. À quoi bon la perturber? On le dit un grand ponte qui fait des miracles.

Paul a dormi lourdement. Il a rêvé qu'il était encore aux affaires à la Banque nationale où il a passé quarante ans de sa vie. La banque avait oublié de le mettre à la retraite et il craignait que la direction s'en aperçoive. Puis il éprouva une grande angoisse : une opération boursière risquée, dont il avait pris l'initiative, tournait à la catastrophe. Il suivait anxieusement la chute vertigineuse du cours des actions... Après s'être réveillé et rendormi, il se remit à rêver. De son mariage avec Judith. Ils étaient à l'autel, face au célébrant, en train de passer les alliances à leurs doigts. Juste à ce moment-là, Béatrice, témoin de Judith, lui envoyait un baiser dans l'espace, en soufflant dans le creux de sa main. Il en ressentit un grand malaise et se réveilla. Que signifie ce rêve? Béatrice vit maintenant aux États-Unis, mariée avec des enfants...

Drôles de choses que les rêves! Mais, pas le temps d'épiloguer... Il prend sa douche, s'habille, prépare le petit déjeuner.

Judith doit aussi se lever et se préparer. Il s'approche de son lit. Elle ne dort pas, le considérant d'un air un peu hagard.

— Ma chérie, il faut te lever. Aujourd'hui, nous allons voir un grand professeur à Zurich. Il va t'aider à retrouver la santé.

Elle se tourne de l'autre côté, émettant une sorte de grognement. Mais, comme elle est passive et obéit sans résistance aux injonctions, elle finit par se lever et se laisser conduire vers la salle de bains. Ensuite, elle enfile sans y penser, elle avant si coquette, les mêmes jeans et le même tee-shirt qu'elle traîne depuis des jours. Pas de maquillage et un coup de peigne à la diable, elle a l'air de sortir d'un mauvais lieu.

Après avoir réussi à lui faire boire un doigt de thé, Paul la mène à la voiture et ils prennent la route. Deux heures et demie pour atteindre Zurich. Pourvu qu'il n'y ait pas trop de trafic.

Ils roulent sur l'autoroute, d'où l'on voit des villages, si proches les uns des autres qu'ils grignotent, en grandissant, tous les espaces verts. Le pays ressemble de plus en plus à une vaste banlieue sans capitale.

Il y a tout de même de brèves échappées possibles du regard vers un canal, un pont, un château solitaire. Paul en profite pour tenter d'attirer sur eux l'attention de Judith qui traverse l'espace en somnambule.

— Tu te souviens, on bifurquait ici pour aller au Tessin... Tu te souviens?

— Le Tessin... répète-t-elle d'une voix blanche.

Elle a parlé, Dieu soit loué! Le Tessin, but de notre voyage de noces, comme d'autres choisissaient Nice ou Cannes. À Lugano, dans un petit hôtel curieusement baptisé Le Félix. *Plus tard, nous avons acheté une maison à Ligornetto, gros village du Mendrisiotto, rendu célèbre par un sculpteur du Risorgimento. Le souvenir du beau temps passé là-bas a-t-il éveillé un écho chez Judith? Peut-être suffirait-il de peu de chose pour mettre en branle un mouvement vers la lumière?*

Le cabinet du professeur Hans-Peter Knaubühl est au bout d'un parcours du combattant. Paul a tracé l'itinéraire sur une carte de la ville de Zurich. Mais un plan et la réalité! Finalement, Zurich a beau être une grande ville, ils sont arrivés à bon port, au cœur de la clinique universitaire, où il a fallu montrer patte blanche à plusieurs reprises.

Le professeur Knaubühl, tête ronde, grosses lunettes à la Marcel Achard, officie dans un bureau aux larges baies, meublé IKEA, tubes et verre, décoré par deux grandes toiles de peintres zurichois émules de Mondrian.

Il a prié Paul, qui faisait mine de se retirer, de rester.

– Comment vous sentez-vous? demande-t-il à Judith.

N'obtenant pas de réponse, il répète sa question. Sans succès.

Alors, il s'y prend autrement, les yeux dans ceux de Judith :

– Vous sentez-vous triste, découragée, sans intérêt pour rien?

Judith approuve d'un mouvement de tête.

– De l'appétit? questionne encore le professeur.

Lasse, elle ne répond pas, Paul le fait à sa place :

– Autant dire qu'elle ne mange presque rien.

S'adressant désormais directement à lui, le maître l'interroge sur l'existence de cas de dépression nerveuse dans la famille.

— Bon sang, c'est vrai, ma belle-mère! Un suicide.

C'est bête, il n'a pas fait le rapprochement. Judith était si gaie, si spontanée, tout le contraire d'une mère qui faisait le désespoir des siens. Morte il y a des années, son souvenir avait dû faire l'objet d'un refoulement de la part de ses proches.

Maman! Pourquoi? Tu es couchée sur le grand lit, tout entourée de fleurs. Pourquoi? Et moi, je suis trop lasse pour faire un pas vers toi. Trop fatiguée. Je ne comprends rien de ce que les grandes personnes racontent autour de nous, les enfants. Pourquoi tu ne réponds pas? Pourquoi tu n'ouvres pas les yeux? Je suis si petite et je ne comprends rien à rien. Tu sais, je ne sens plus mon corps. Je suis à côté de lui, je ne sais où. Ça fait très mal et, en même temps, je n'éprouve rien. S'il te plaît, il faut m'aider à rentrer chez moi. Tu sais, je crois que la vie s'est arrêtée, comme dans la Belle au bois dormant. Vite, un coup de baguette magique, je t'en supplie, pour tout remettre en mouvement.

Depuis un moment, le professeur écrit posément avec une grosse plume à la mesure de ses lunettes et de sa tête. Le silence de la pièce se charge de mystère. La pluie commence à battre les vitres. Un orage? Probablement, à cause de cette chaleur venue si brusquement.

Ayant fini d'écrire, il met la lettre sous pli, trace quelques mots sur l'enveloppe et la tend à Paul :

— Vous remettrez ceci au docteur Blandenier, chef de la clinique des Berges en y amenant Madame. Elle a besoin d'un traitement. Blandenier a fait ses études avec moi. C'est un excellent praticien. Je lui suggère un traitement à base d'antidépresseurs, comme le Prozac ou l'Efexor. On sait aujourd'hui les causes de la prédisposition génétique à la dépression, une sensibilité anormale au neurotransmetteur acétylcholine dans le cerveau. Et quand on connaît la cause... Vous verrez, (il se tourne vers Judith), quinze jours, trois semaines en clinique, avec la médication, et il n'y paraîtra plus. Le bout du tunnel...

Pas question de traîner à Zurich. Rentrer chez soi le plus vite possible, retrouver la sécurité du *home sweet home*. Paul n'a pas faim. Quant à Judith... Tous pareils, ces médecins. Pas question de se compromettre par un pronostic. Ce «bout du tunnel», combien de fois le leur a-t-on seriné? Ils diraient : «on ne sait pas d'où ça vient et ça part quand ça veut», ce serait plus honnête, non?

Il a installé Judith sur le siège arrière, avec une couverture et un coussin. Malheureusement, il ne peut pas l'apercevoir dans le rétroviseur. Le siège est trop bas. Il verrouille les portes, comme pour les enfants.

L'autoroute est mouillée. Les véhicules qui dépassent soulèvent des gerbes d'eau, mais des plages bleu pâle surgissent entre les nuages bousculés par les vents.

C'est vrai, la maman de Judith, pauvre femme... oubliée pour conjurer le mauvais sort, puis ressurgie avec l'énergie puisée dans le refoulement. Plus question de nier les prédispositions génétiques, cette menace sur la tête de Judith et, demain peut-être, sur celle de nos enfants qui en ignorent tout. J'ai peur. Très peur. Et pourtant, n'étions-nous pas heureux au delà de toute expression. Quelle fut l'erreur, le faux pas, la porte qu'il eût fallu garder close pour empêcher le retour de cette morte parmi nous? Était-il écrit que nous devrions un beau jour affronter cette revenante? Ah! Je la revois sur sa couche mortuaire, nous narguant tous, étant parvenue à déjouer la surveillance exercée sur elle et à nous laisser son énigme en partage. Doit-on craindre que Judith soit tentée de suivre ce funeste exemple?

Ah! Les turbulences déclenchées par cette visite au professeur Knaubühl! S'agitant follement dans la tête de Paul, elles menacent de la faire exploser.

Au dehors, le train du monde n'en semble pas affecté du tout. Le temps s'y déroule sans la moindre perturbation. La nature ne donne aucun signe de panique.

Ce constat apaise Paul. Il est de ces hommes qui proclament : il n'y a pas de problèmes, il n'y a que des solutions. Il est positif en diable, les pieds sur terre, un type sécurisant. Il peut connaître un moment d'anxiété, mais pas question d'y céder. Par contre, il prend très au sérieux ce que le professeur a laissé entrevoir à mi-mots : les risques génétiques courus par Judith. La période de la ménopause peut avoir affaibli sa résistance, ouvert la brèche par où s'engouffre le virus du destin calamiteux de sa mère. Qui sait?

Un idiot le dépasse par la droite et lui fait ensuite une queue de poisson. En lâchant une injure à voix basse, Paul se libère plus de sa tension interne que de sa hargne à l'égard de l'impudent.

Le suicide. Par quels chemins en arrive-t-on à cette issue de l'irrémédiable désespoir? Et d'où vient le courage de trancher soi-même le fil de sa propre vie? Faut-il admirer les stoïciens qui, à la manière d'Henry de Montherlant, préfèrent la mort à la déchéance physique?

Je me souviens que, peu avant le début de la maladie de Judith, nous avons regardé ensemble «Le choix de Pierre», un documentaire filmant les dernières semaines de la vie d'un quinquagénaire atteint d'un cancer du cerveau, jusqu'au moment où il a bu la ciguë, breuvage mortel amené à domicile par les émissaires d'Exit.

Il n'y a pas si longtemps, le curé traversait le village, portant l'extrême-onction aux mourants. Aujourd'hui les thuriféraires de la mort volontaire ont pris le relais. Dieu est mort; l'homme est seul.

À la fin de l'émission, nous sommes restés pétrifiés, Judith et moi. Elle a prononcé une phrase stupéfiante. Quelle phrase? Ah! Si je m'en souvenais! Elle signifiait l'horreur et l'incrédulité devant ce que nous venions de voir.

À Berne, l'autoroute de ceinture surplombe la ville. Paul aperçoit la cascade des toits de la vieille cité et, brièvement, le ruban de l'Aar, scintillant sous le soleil revenu.

Prestement, il se retourne; Judith garde la même position sur le siège arrière. Quelles images défilent sous ses paupières baissées? A-t-elle prêté attention aux propos du professeur Knaubühl? À l'évocation de ce nom, Paul tâte sa veste, laissée sur le siège voisin, à la recherche de la lettre destinée au médecin chef de la clinique des Berges.

Il donnerait beaucoup pour connaître le texte du message. Un diagnostic peut-être? Ce qui l'inquiète, chez Judith, c'est l'autisme, cette façon de couper les liens avec lui et avec tous les autres.

Il a consulté des livres sur la dépression, l'asthénie, la mélancolie, l'hystérie et les maladies mentales, sans trouver grand-chose sur l'autisme susceptible de l'éclairer à propos de sa femme.

Comment s'y prendra-t-il demain pour la mener en clinique? Le mieux sera de téléphoner au docteur Blandenier tout à l'heure, dès leur retour à la maison. Ils y arriveront dans moins d'une heure. Déjà, la voiture s'engage dans le Seeland, ce bout de plat pays tourbeux entre les trois lacs.

De l'autoroute, on voit au loin les gros villages aux fermes cossues. On oublie un court moment l'exiguïté du territoire, sorte de réserve d'Indiens. Pourquoi Paul pense-t-il, juste à ce moment, au musée en plein air de Ballenberg où sont mises à la retraite de vieilles fermes reconstituées? Ah! Les idées qui peuvent nous traverser l'esprit...

Il n'est pas encore trois heures quand ils arrivent à la maison. Ils n'ont rien mangé. Judith se couche sans attendre.

– Veux-tu que je te prépare quelque chose? Tu dois manger, sais-tu...

Elle secoue la tête pour dire non, mettant sa main devant sa bouche pour étouffer un bâillement.

Au téléphone, le docteur Blandenier laisse Paul expliquer la visite chez son confrère de Zurich et son avis sur la nécessité d'une hospitalisation de Judith. La conversation se clôt par l'invite à venir avec elle, le lendemain matin à dix heures, sans oublier la lettre et quelques effets dont, bien sûr, une trousse de toilette.

– Judith, il faut m'aider à faire ta valise. Demain, tu entres en clinique. Ils vont bien te soigner...

– ... oui... le bout du tunnel...

A-t-il bien compris? A-t-elle vraiment parlé du bout du tunnel? Un mot d'espoir? de lassitude? d'indifférence?

Elle l'aide un peu, lui désignant les vêtements et objets à ranger dans la valise, puis se recouche dans les rais de lumière dessinés par le soleil à travers les ajours des persiennes.

Je dois donner le change, penser à Paul, le pauvre. Plus, c'est au-dessus de mes forces. Qui a coupé le fil de ma vie, me privant de toute sensation, de toute envie, comme si mon sang s'était figé. Je vois les autres s'activer comme des fourmis autour de la fourmilière et je ne comprends plus rien à leur agitation.

Dépossédée de moi-même, je me sens vide, sortie de ce corps qui m'embarrasse et dont je ne sais plus que faire. Personne ne semble entendre mes cris. Les chiens peut-être... les chiens d'Hécate?

Quand, à l'aube, il se réveille, Paul serait bien en peine de dire à quoi il a occupé son temps le reste de la journée et la soirée. Des bricolages, de la vaisselle à ranger, une lettre à écrire et puis des visites à Judith, sur la pointe des pieds, jusqu'au moment de s'étendre lui-même sur le lit jumeau. Après cette journée harassante, il s'est endormi d'un coup pour se retrouver, à six heures du matin, la bouche sèche, et courbaturé. Dehors, les oiseaux s'en donnaient à cœur joie pour saluer le soleil levant.

À voir la décoration du bureau du docteur Blandenier, il ne partage pas l'attrait de son confrère zurichois pour l'art moderne. Il lui a préféré des œuvres d'artistes régionaux du début du siècle passé, Louis de Meuron et L'Eplattenier.

Une imposante barbe grisonnante lui donne l'air d'un tribun socialiste. Rien à voir avec le professeur Knaubühl aux allures de grand patron néo-libéral. Au milieu de cette broussaille, une bouche trop petite renforce cette première impression.

Paul lui remet la lettre. Après l'avoir lue en fronçant les sourcils, le docteur Blandenier, s'adressant à Judith d'une voix étonnamment douce, lui dit :

– Chère Madame, bienvenue à la clinique des Berges. Mon confrère a raison, un séjour ici vous fera le plus grand bien. Vous vous y plairez, vous verrez.

Mandée par le médecin, son assistante arrive. Il la prie d'accompagner Judith jusqu'à sa chambre.

Il retient Paul qui fait mine de les suivre :

– Restez un instant. Nous irons voir Madame ensemble, quand elle sera installée dans sa chambre avec vue sur le lac.

Paul en profite pour lui demander ce qu'il pense de la maladie de Judith et du temps qu'il faut compter pour la remettre sur pied.

– Voyez-vous, cher Monsieur, l'évolution de ces maladies est très imprévisible. En l'espèce, l'autisme complique encore le pronostic. Laissez-moi mettre en route le traitement proposé par le professeur Knaubühl, une sommité. Et puis, faisons confiance à la providence...

Paul se dit qu'il serait mal venu d'insister pour en savoir plus, avant que le docteur Blandenier ait pu observer Judith pendant quelques jours.

Il ne m'a pas parlé des prédispositions de Judith, mais il est au courant. Knaubühl a certainement attiré son attention là-dessus. Aujourd'hui, je mesure mieux le privilège des années heureuses que nous avons connues. Une chance! Depuis des mois, nous naviguons, elle et moi, entre médecins généralistes et psychiatres. Aujourd'hui, nous voilà en clinique psychiatrique, apparemment une autre planète, dont il faudra apprendre les us et coutumes. Comment va-t-elle réagir? Se rend-elle même compte de ce qui lui arrive? Rien ne semble la toucher. Son indifférence m'effraie.

Paul accompagne maintenant le docteur Blandenier le long d'un couloir reliant l'ancien bâtiment, siège de la direction, à la nouvelle clinique. Leurs pas n'y résonnent pas à l'unisson. Le médecin marche plus vite, mais à moins longues enjambées. Quelles pensées futiles, dans un moment pareil! se dit Paul, sans savoir qu'il obéit à un réflexe de survie : dans le danger, la fixation de l'esprit sur des faits concrets, voire triviaux.

– Et voici notre patiente dans sa jolie chambre! proclame le médecin en ouvrant la porte.

La lumière inonde la pièce, agressive. Judith, assise dans un fauteuil, en protège ses yeux, ses mains formant écran.

Paul demande que les stores soient baissés, sa femme ne supportant pas une clarté si vive. Il se rend compte qu'il s'exprime comme si Judith était absente.

– Je crois que Madame est fatiguée, dit l'infirmière qui a terminé de ranger ses quelques effets à la salle de bains et dans une armoire.

– Je le pense aussi, affirme Blandenier qui, à l'intention de Paul, ajoute : je vous raccompagne.

À peine le temps d'embrasser Judith, avec le sentiment de serrer une ombre dans mes bras, sans me résoudre à son indifférence.

Blandenier m'a mené jusqu'à la porte principale, me libérant en m'exhortant au courage. Dans les allées, entre les rosiers fleuris en bordure du gazon anglais, je croise du monde. Patients? Personnel soignant ou d'intendance? Rien ne les distingue vraiment les uns des autres.

Le temps est au beau fixe avec une folle insolence. On aimerait que la météo reflète nos humeurs, triste quand nous le sommes ou joyeuse à l'unisson avec nous. Rien de plus déprimant que le beau temps à contresens.

J'ai repris ma voiture au parking et rêvasse en conduisant. Voici quelques jours, la presse annonçait la jonction, au chantier du tunnel du Lötschberg, entre les équipes venant du Valais et de Berne. Combien de nationalités représentées? Plus d'une quinzaine, disait-on. La vie doit être bien dure chez eux pour pousser ces hommes à partager à l'étranger leur existence entre le sommeil nocturne et la nuit diurne du tunnel. Et de morts, combien pour cette percée d'une taupinière sous la montagne?

Moi aussi, je suis dans un souterrain où je mange mon pain noir après le blanc. Comment combattre le mal insidieux de Judith, cet ennemi énigmatique? Quel est son talon d'Achille? S'en remettre aux interventions des psychiatres sur les neuro-transmetteurs cérébraux? Faire confiance? Lutter ensemble? Stimuler chez Judith le désir d'un retour à la vie?

J'ignore encore comment m'y prendre, mais pas question de baisser les bras. J'ai mal pour Judith, pour moi-même, pour mon amour impuissant à la sortir de cette presque mort.

Pour commencer, mobiliser toutes les énergies, la mienne, la sienne, celle de l'équipe soignante pour insuffler à la malade la volonté de guérir. J'irai la voir tous les jours, pour la sortir en ville, lui apporter de la lecture, nous promener dans le parc, lui parler des choses de la vie. J'inciterai ses amies à lui rendre visite...

Le parcours n'est pas bien long, de la clinique à la maison.

Paul engage déjà la voiture dans la rue des Mimosas, où il habite. Sortis de l'école voisine, des enfants rieurs jouent sur le trottoir, l'obligeant à attendre qu'ils lui laissent le passage pour accéder à son garage. Plusieurs lui adressent un salut un peu moqueur.

Paul sourit. Il pense qu'ils ont toute la vie devant eux.

Jacques Flamand

Consentement

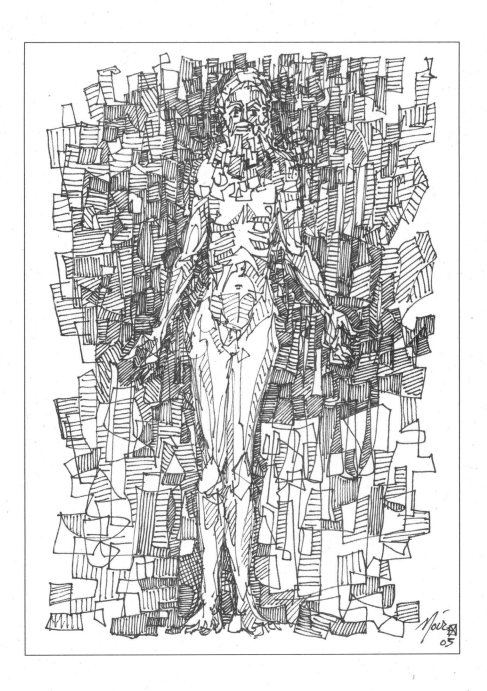

François-Xavier Noir   *Consentement*   2005

DEPUIS combien de temps marché-je? Je ne saurais le dire. Je suis fatigué, j'ai faim, j'ai soif. L'humidité m'enveloppe, je frissonne. Probablement aussi, mes frissons ont une autre cause, l'inquiétude, la tension nerveuse. Je marche dans le noir et ma lampe de poche faiblit de plus en plus; je n'ai pas de pile de rechange. À bien y réfléchir, c'est sur un coup de tête, ou tout simplement par désir d'aventure – impulsion bien risquée – que j'ai emprunté ce tunnel abandonné. Avait-il été voie routière ou voie ferrée? Ou autre destination ou usage? Rien ne me permet de trancher. Je n'ai que des cailloux pour réponse, des cailloux sous mes chaussures et, au moins une chance de mon côté, ils sont disposés régulièrement sur le sol, m'évitant d'avoir à regarder constamment où je pose les pieds. Tant que je peux voir un peu.

Je me prends à regretter d'avoir quitté ma tente et sa sécurité pour ce lieu clos, oppressant, ce souterrain qui semble n'avoir pas de fin. J'ai voulu passer seul quelques semaines de juillet dans cette région montagneuse des Carpathes. Un vaste territoire encore sauvage à sillonner, un peu au hasard de l'aventure, ce que je préfère. Je me demande si la carte de la région que je me suis procurée, qui vraisemblablement date de la guerre froide, n'a pas été délibérément retouchée pour induire en erreur les «ennemis du peuple». Le tunnel y est indiqué, en fait son entrée seulement, comme s'il s'évaporait ou était absorbé dans les entrailles de la terre. J'ai voulu aller voir. Eh bien, j'y suis...

Si seulement j'avais ma montre lumineuse. D'un instant à l'autre, ma lampe électrique va rendre l'âme. Ni l'heure, ni la lumière. Ma situation devient grotesquement insensée, et critique. Revenir sur mes pas? Il y a peut-être huit ou dix heures que j'avance laborieusement dans cette galerie. La fin ne devrait pas être loin. Je continue, voulant croire que la sortie, l'air, la lumière m'attendent, s'apprêtant à me faire la fête et à m'apporter réconfort et détente. Or, je suis encore mû par ma curiosité de découvreur. Trop tôt encore pour rebrousser chemin. Pourtant, le doute, l'angoisse m'envahissent. Et si, comme aurait pu l'imaginer Jules Verne, cette voie souterraine conduisait directement au centre de la terre, ou aux antipodes, ou à Moscou, ou à Pékin? Elle pourrait aussi s'arrêter d'un coup, débouchant dans une vaste grotte fermée, ou sur un torrent, ou n'avoir pas été creusée plus avant. Terribles pensées qui m'étreignent. Peut-être que des esclaves ont travaillé ici jusqu'à la mort, et leurs corps jetés dans cette grotte ou ce torrent, qui se mettent à me hanter. Il y a eu tant de victimes de la barbarie nazie ou stalinienne.

Tout cela ne serait-il qu'une chimère, ou un mauvais rêve qui disparaîtra à mon réveil? Je me pince le bras, puis le visage; je sens la légère douleur. J'en conclus, à tort peut-être, que je suis vivant et éveillé. Mais pour celui qui est emmuré vivant, qu'est-ce que la vie? Le tragique me saisit, je veux pourtant garder mon sang-froid. Sang froid... figé pour toujours, de plus en plus la vision ultime de moi-même. Une affaire de jours, ou plutôt d'heures.

L'obscurité est maintenant totale. Je ralentis mon allure; j'avance maladroitement, en aveugle. En d'autres lieux, je dirais, la gorge serrée, l'heure tourne, et pour mon malheur. Mais que veut dire *l'heure*? Je pense à Michel Siffre, ce spéléologue scientifique qui a fait plusieurs séjours prolongés, des semaines entières seul, sans montre, enfermé à de grandes profondeurs. Lui, a survécu, mais il avait le confort de l'équipement de camping, de quoi boire, de quoi manger. Il avait constaté que son horloge biologique tournait plus lentement que les aiguilles d'une montre. À quoi bon cette réminiscence? En quoi Michel Siffre peut-il m'aider en cet instant? En rien. Rien. Seul avec moi-même, isolé, abandonné, voué à la mort prochaine. Unique issue possible.

Curieusement, plus le temps passe – quel *temps*? –, plus l'angoisse me quitte. Non que je sois vraiment serein, mais je me résigne peu à peu. J'accepte l'inévitable, mon sort. Mon destin serait-il écrit quelque part? Si oui, ma vie doit alors se conformer à l'Écriture, jusqu'à ma mort. Après? La révolte en effet ne sert à rien, n'a pas sa place ici. Ma mort me révélera peut-être ce que cache le voile. Y a-t-il un au-delà? Une lumière qui déchirerait la ténèbre, cette ténèbre qui imbibe chaque cellule de mon corps?

Je poursuis à tâtons mon chemin de misère, me guidant à main droite sur la paroi. La roche sous mes doigts est un des rares réconforts que je ressente. Elle est sèche maintenant, et je devine sa nature – du granit à n'en pas douter – et j'imagine sa couleur, belle, chatoyante, chaude, comme le protogine lumineux des Aiguilles de Chamonix dans le massif du Mont-Blanc. Grâce à la pierre, cette amie et compagne de toujours, mon esprit s'évade vers le monde du soleil, du vent, des grands espaces de lumière. Vers la vie. Pourtant, la pierre souterraine que frôlent mes doigts n'est pas sans vie; non pas morte, mais assoupie depuis des temps géologiques. Ou plutôt, car la pierre ne dort pas, son temps est autre que celui de notre conception

humaine. Il se mesure en ères de millions et de milliards
d'années. Quand, inexorablement, fatalement, je mourrai dans
ce tunnel interminable, qui sait si, moi aussi, je m'assoupirai
pendant des millions d'années, jusqu'au jour – à la nuit? –
où la Terre accueillante me tirera de ma torpeur, me disant :
«N'attends plus, mon fils, réveille-toi, redresse-toi, et rends-moi
hommage. Sois mon chantre, clame ma beauté, sois le psalmiste
de la Beauté!» Et, le cœur léger, aussi dispos qu'après une nuit
de repos selon notre mesure temporelle, je me lèverai et ma
louange emplira ce souterrain qui se fera cathédrale.

Pesamment, je marche en automate. Mon corps se traîne,
mon esprit a migré dans un monde de paix, de sérénité. Quand
mes muscles, mes tendons, mes articulations, abandonnant
l'inégale partie, crieront grâce et que, tout entier, je m'affais-
serai sur le sol minéral, tintera à mes oreilles le début de ma
délivrance. Serait-ce là le sens de l'ascèse monastique, mater
le corps, le traiter sans la moindre indulgence, pour donner à
l'esprit les ailes des hauteurs? Privation, jeûne, cilice, flagellation,
je n'ai aucunement besoin de ces recours, de ces artifices
ascétiques pour asservir mon corps; l'épuisement tient lieu de
noviciat.

Depuis combien de temps suis-je en route? Mon excursion
de découverte s'est muée en pèlerinage d'une vie, vie désormais à l'achèvement imminent. Même si je voulais revenir à mon
point de départ, je ne le pourrais plus. Je suis allé trop loin.
Peut-être même que plusieurs jours se sont écoulés depuis
mon entrée dans le tunnel. Je suis également allé trop loin
dans mon décapage mental et spirituel. J'ai cheminé en moi plus
que je ne l'avais fait en quarante ans de ma vie parmi les
humains. Dans nos sociétés de l'aisance et du confort, ne
passe-t-on pas trop facilement à côté de soi, à côté de son noyau
intérieur, de son centre de gravité? J'ai le sentiment d'avoir

marché au-devant de ma chance, en empruntant, sans l'avoir
voulu, les coursières du dépouillement, du renoncement, rac-
courcis fulgurants qui, en quelques jours, préparent à la porte
du sublime.

Je titube, m'appuyant de plus en plus à la paroi com-
patissante. Ma bouche est pâteuse de soif, mon estomac noué
de faim, mes membres tremblent d'épuisement. Pourtant, je vois
de plus en plus clair en moi. Je perçois les valeurs auxquelles,
plus ou moins confusément, j'ai aspiré dans ma vie antérieure.
Je les sens à portée de souffle. Sans que je le sache, c'est bien
une nouvelle vie que j'ai commencée dès mes premiers pas
dans ce souterrain qui a un début, mais pas de fin. Je l'ignorais.
Dans ma vision de terrien occidental myope, je croyais que
tout ici-bas a un commencement et une fin. Je découvre que,
si on se laisse guider, il suffit de débuter pour que la fin soit
inutile. Le début contient le terme ; or, je le sais plus clairement
désormais, il n'y a pas de terme. Paradoxe qu'auparavant j'aurais
écarté d'un simple haussement d'épaule. L'esprit de géométrie
n'a plus de sens au cœur de la terre. Les réalités appréhendées
relèvent de plus en plus d'un autre ordre. Mon entrée dans le
tunnel est, j'en ai en cet instant la conviction, mon entrée dans
l'éternité. Le temps n'existe plus. Je me sens immergé dans l'être,
qui est acte, non durée éphémère et trompeuse. Être qui a la
capacité illimitée de s'actualiser, de devenir plus-être, sans jamais
atteindre le terme, car le terme n'est qu'un mot vide, un de plus
du dictionnaire des humains.

Sans m'en rendre compte d'abord, mon corps a fléchi,
freiné dans sa chute par la prévenance de la paroi. Je suis assis
et mes muscles peu à peu se détendent, éloignant de mes
membres affaiblis le risque de crampes douloureuses. Je suis
environné de granit, et qui sait si, à mille ou deux mille mètres
au-dessus de moi, ne jaillissent pas quelques pics escarpés

pétris de la même ardente matière ? Cette immensité minérale entière me reçoit fraternellement, maternellement. Je m'éprouve granit moi aussi. Serait-ce ma vraie nature, l'âme sœur que je n'avais jamais vraiment identifiée ? Que j'ai cherchée, par mille escalades, dans mille ascensions, sans pourtant en avoir la pleine révélation ?

  J'entends battre le cœur de la montagne. À moins que ce ne soit les pulsations de mon propre cœur, qui s'obstine encore à continuer son têtu mouvement de vie. Pourtant, je n'ai plus besoin de ces rythmes physiologiques ; j'ai déjà la vie, une autre vie, celle de l'ordre de l'esprit ; telle est ma joie intérieure, ma silencieuse exaltation.

  Je m'assoupis puis, bientôt, disparais dans le sommeil.

Edith Habersaat

Piano solo

François-Xavier Noir   *Piano solo*   2005

ELLE LONGE son cauchemar, s'agite, appelle sa mère de ce cri affolé des petits enfants saisis soudain de frayeur. Mais Maman n'est pas là Plus là. Depuis longtemps? Elle l'ignore. Tout est brouillé dans sa mémoire, silence blanc, silence blême. Et la sensation d'être gênée dans ses mouvements, comme si des mailles de nuit paralysaient son corps. Elle tente alors de remuer une jambe, puis l'autre. Pour vérifier si... Peut marcher. Courir, même. Courir dans le Temps. Courir cependant immobile parce que le passé s'enlise dans le limon de sa mémoire.

La perfusion l'embarrasse. L'arracher? Hésitation : la douleur certainement en profiterait pour ricaner. Pour se glisser subrepticement entre ses épaules, dans sa tête ou ailleurs. Difficile à localiser : serpent de mer, elle ondule en écailles foncées; on la croit ici, mais elle est là-bas, et vice-versa.

Où? demande en vain l'infirmière de garde, son visage penché sur celui de la malade. Un regard démesuré, lui semble-t-il. Et tissé (du moins en a-t-elle le sentiment) d'entrelacs d'obscurité. L'ombre mouvante du reptile? À moins que ce ne soit, grimée de notes grinçantes, *L'Arabesque* de Schumann? Ou les *Kreisleriana*? Ou les *Chants de l'Aube*?

Maman assise devant le piano. Dilatation des sons qui éclatent en bulles confuses dans l'avance du crépuscule. Qui se taisent ensuite. La Musique est morte. Et Maman ? Maman également, sans doute, puisqu'elle ne répond plus quand on l'appelle.

Mon visage penché sur celui de la vieille dame. Son regard, alors effaré, semble porter en ses profondeurs les traces de ce serpent de mer dont elle évoque si souvent la présence. Pour donner un nom, il se peut, au mal qui mord sa chair, sa respiration. Un nom moins commun, moins effrayant que celui de... Et peut-être plus poétique, plus mythique en tout cas que le sien propre.

Elle a appelé sa mère, ce matin. D'instinct. Sa mère certainement décédée depuis bien longtemps. Une pianiste, semble-t-il. Peu évident néanmoins de le savoir vraiment : outre une parole parfois incohérente, invalide, écorchée par le chaos de son cerveau, et sans suite, la vieille dame affiche une très grande réserve. Un veuvage précoce, certes, a-t-on deviné, mais hormis cela ?

Deux hommes d'âge mûr souvent lui rendent visite. Ses fils. Quoique... Curieusement délestés de leurs prénoms respectifs. Qu'elle désigne par la couleur de leur chemise, invariablement la même à chaque fois. Leur volonté peut-être de tendre un repère à la malade ? *Le Vert n'est pas venu aujourd'hui, n'est-ce pas ? Et le Mauve ?* interroge-t-elle d'une voix enflée de reproches néanmoins retenus. Mais d'ajouter dans l'instant que sans Stanislas...

Un jeune homme aux yeux de brumes. Peu loquace. Une silhouette mince, agile, qui paraît guetter le vide du couloir et l'instant de la pause des médecins pour se glisser aussitôt,

discrètement, dans l'espace de la chambre. On les entend parfois qui rient, lui et la vieille dame; pour conjuguer leurs forces
afin d'effrayer le Reptile, peut-être? Alerte, danger, le Serpent
s'enfuit derrière le rideau, feignant l'endormissement, mais très
vite, ses ondulations d'ombre remuent le bleu de l'étoffe; on
s'efforce alors de croire aux frémissements du vent. Et on
oublie la présence sournoise du Serpent, froissement des heures,
on oublie jusqu'à l'horloge puisque, de toute façon, elle n'a
plus d'aiguilles. Néanmoins, à peine la porte s'entrouvre-t-elle
qu'aussitôt le jeune homme s'en retourne.

*Le regard si fréquemment démesuré de l'infirmière a dû
effrayer Stanislas. Il n'a pu l'éviter aujourd'hui. Des yeux
immenses et globuleux qui certainement ricanent maintenant
dans le cerveau si bousculé du petit. Des trous... Un reptile
également... Mais pas celui du rideau... Un autre... Il y en a
tellement! Des roses, des rouges, des violets... Les fleurs du
jardin à arroser... Le Vert, le Mauve.. Ils ont oublié de... Des
prunes tombées... Les ramasser... Les...*

Elle s'agite, puis tente d'esquisser les gestes d'une cueillette,
mais ses bras retombent lourdement sur son drap.
La perfusion arrachée. Elle pend à la manière d'un serpent
dédoublé, mince et blanc. Ses écailles noires accrochées au
cerveau en chaos. Immobilité du rideau. Il n'y a plus de vent.
Un endormissement, simplement. Un état de léthargie. La mor-
phine à nouveau boit la douleur, trouant cependant au passage
la surface de la mémoire; creusant ensuite ses profondeurs,
limon où s'enlisent les mots, la cohérence... Et peut-être même
les notes de musique auxquelles la vieille dame suspend son
souffle. La respiration de ses attentes aussi, *le Vert n'est pas
venu aujourd'hui... Le Mauve non plus...*, balbutie-t-elle. On la
rassure : ils étaient là, mais vous dormiez!

Mensonge! Des mensonges pour me calmer. Ou pour empêcher les couleurs de divaguer. Pour les garder de cette sorte d'obscurité qui cherche à m'aspirer. À m'agripper à la manière des courants d'air glacés qui serpentent entre les éclairages blêmes d'un tunnel. Des ventilateurs en hauteur; les arrêts de secours, S.O.S., en lettres rouges, mais Maman n'est pas là. Ne répond rien, sans doute trop préoccupée par son clavier. Les notes de L'Arabesque *de Schumann, à moins que ce ne soit celles des* Kreisleriana, *maintenant plaquées contre le noir des parois. Elles tentent de gigoter, mais l'air est vicié. Et sale, sale comme... Le passage d'un train a dû les souiller. Son sifflement au loin. A-t-il émergé de la bouche d'obscurité? A-t-il atteint la clarté du jour qui s'ouvre en aubes d'espoir à la fin de la nuit? Un serpent à sa manière. Des écailles de métal. Il chutera peut-être dans l'un des ravins qui bordent les voies ferrées. Chutera en raison de sa vitesse. Un forcené. Le fracas des tôles qui se disloquent sous la violence du choc; les cris d'effroi des passagers. Et les miens mêlés aux leurs. Des ambulances, les gyrophares en lumières violettes... Mauves... Non, le Mauve n'est pas là. Désertion du Vert aussi. Il n'y a que Stanislas... Stan qui...*

Stanislas entre dans la chambre. Suivi du Mauve. Suivi du Vert. Ils regardent la vieille dame qui, elle, ne les voit plus vraiment. Sur son front biffé de rides, des protubérances. Enflées, certainement, du poison d'un serpent enroulé en vagues noires derrière le bleu du rideau. Des râles. Peut-être disent-ils qu'elle est prête maintenant à se laisser aspirer par les courants d'air glacés du Passage Souterrain? Les deux hommes détournent la tête, mais Stanislas, lui, veut encore retenir des bribes de ce souffle cassé, de cette respiration toute en raucités. S'agrippe alors à ce corps déjeté au seuil du Silence; à ces doigts parcheminés qui semblent se refermer sur les notes de musique qu'ils ont si souvent jouées. Et les emporter... Le vide, soudain. Un vide un peu semblable à celui qui creuse à nouveau son cerveau, forage... A oublié jusqu'à l'air des *Kreisleriana*. La vieille femme a dû l'emmener avec elle.

*

Le train. Des wagons qui jouent aux arabesques dans les virages, ballottements des voyageurs et lui, tassé sur son siège, suit le mouvement de tout son corps. Y adhère même, ne prenant pas appui sur les accoudoirs. Normal : il est trop tard maintenant pour retenir quoi que ce soit. Le vide...

Agitation sur le quai de gare. Il n'en a cure. Ce qu'il veut, c'est...

Elle... Elle à retrouver pour lui reprendre les notes qu'elle a dû emporter... Qu'elle m'avait données. Où la retrouver? Derrière les remuements bleus d'un rideau? Parmi les nébulosités des ciels à l'envers qui se jouent des prières de la Terre? Ou dans...

Il marche. Marche le long d'un ponton. le long de son errance aussi. Des vagues s'écrasent en claquements secs contre les piliers de bois. Sans doute reprendront-elles forme près du port de Rotterdam, avant de se glisser dans les roulis de la Mer du Nord. C'est là qu'il aimerait la rejoindre, qu'il pense la retrouver; c'est cependant si loin et il est tellement fatigué! Fatigué d'avoir trop marché. Marché dans le vide de son cerveau. Marché aussi dans ses cauchemars. Et au travers des sifflements lancinants d'un train-serpent. Alors il se dit que les vagues, qu'elles soient d'ici ou d'ailleurs...

Du bleu écumeux. Du bleu et du blanc. Des tourbillons qui épousent certainement les vertiges. Qui les absorbent doucement. Qui vous enlacent jusqu'aux profondeurs marines, frémissements des algues en arabesques sonores et vertes, vertes comme le Vert son père, et striées aussi de jaune, de gris, on dirait des portées aux notes cependant absentes : elles ont dû glisser jusqu'en l'épaisseur du limon, déséquilibrées par le balancement de la végétation. Il faut donc les rattraper, les reprendre avant qu'elles ne s'enlisent dans les marais de la Nuit, il sourit.

*

Un pêcheur sur le rivage. Occupé à raccommoder les mailles de ses filets. Un bruit sec soudain. Il lève la tête : un homme, là-bas, s'est lancé dans le tumulte des eaux. Ne s'y débat pas. Semble plutôt s'y glisser, puis se laisser avaler, consentant, par l'écume en jaillissements tourbillonnants, le bleu et le blanc...

On l'a ramené jusque sur la grève. Une respiration en soubresauts. Du bleu, du blanc au-dessus de lui : le ciel? Ne sait plus s'il est en haut ou en bas. Ne sait plus que les notes des Kreisleriana qu'il est allé récupérer dans le limon de sa mémoire, entre les frémissements verts d'une touffe d'algues...

La Clinique. Des murs blancs. Un rideau bleu. Il l'observe, méfiant, guettant le moindre de ses remuements. Or, il n'y a pas de vent. Il n'y a que l'écho des eaux du Rhin. Et, mêlées au chant hésitant des notes égarées, celles sans doute qu'il a pu rattraper avant qu'elles ne s'enlisent dans l'épaisseur visqueuse du limon. Et d'autres encore, qu'il a cependant peine à nommer. Alors, il s'essaie à les jouer dans le vide, à les rassembler en une partition imaginaire, mais elles lui échappent au moment où il croit les avoir saisies. Des trous dans la mémoire. Il s'efforce néanmoins de les combler avec des mots. On lui parle du Vert, son père, mais il pense au Mauve, son oncle. Ne se reconnaît pas dans l'identité qu'on lui prête. Est-il vraiment question de lui, Stanislas S.? Pourtant, il ne marque aucun étonnement quand on évoque son activité de pianiste. Il s'en souvient : ses doigts sans cesse la lui rappellent...

Ses doigts suspendus au-dessus du clavier. Il joue dans le vide. À croire que quelque chose empêche ses doigts de rejoindre les touches. Une distance entre elles et les mains. Une distance où s'étirent encore, certainement, l'écho des râles de la vieille femme. Franchir cet espace chaotique, en deuil d'une Musique pleine et belle, pour espérer une amélioration de l'état mental du patient.

Le visage de la Doctoresse V. penché au-dessus du sien. Il l'observe. Des traits réguliers, fins. Des paupières discrètement ombrées où semblent danser les notes d'une partition. Celles d'une symphonie? La *Rhénane* de Schumann? croit-il se souvenir. Acquiescement de la femme, elle chantonne quelques mesures, il sourit.

Ses mains très proches du clavier, ce matin. À la limite du frôlement. Puis il a joué le troisième mouvement, me semble-t-il, de la symphonie Rhénane. Au travers des notes, le dessin de la cathédrale de Cologne; les remous joyeux d'un fleuve qui n'a pas voulu du musicien...

Du réfectoire, on l'entend souvent qui joue, oublieux de l'espace et du temps. À croire que l'horloge n'a plus d'aiguilles... Évoluant dans sa bulle sonore, il devient musique, blanche, noire ou croche. Le chemin de la liberté. Bientôt, Stanislas S. pourra quitter l'établissement.

Il s'en est allé dans les brumes du petit matin, habillé de la Symphonie du Fleuve, habité tout entier par tant de beauté; il s'en est allé, enfin libéré de...

On vient de retrouver, sur la voie ferrée où il s'est imprudemment aventuré, un jeune homme au corps mutilé. Sans doute n'a-t-il pas entendu le sifflement aigu d'un train émergeant du souterrain.

*

Martine L. Jacquot

Un air d'accordéon qui traverse le temps

François-Xavier Noir   *Un air d'accordéon qui traverse le temps*   2005

Je vous abandonne un instant sur le seuil,
je dois aller allumer quelques lampes,
aller seule ranger le désordre laissé par les ans.
Jours de sable, Hélène Dorion

VANT les images et les sons, ce furent les odeurs. Nadine avait voyagé toute la nuit, remontant le temps vers le vieux continent. Ce n'était pas encore l'aube chez elle, et elle aurait dû être bien au chaud dans son lit douillet, pensait-elle, toute fripée et décoiffée, debout dans l'allée du wagon, se cramponnant à une barre de métal verticale, sa valise coincée le long de la portière du RER B qui roulait en direction de Robinson/St-Rémy-les-Chevreuses.

Autour d'elle, des silhouettes anonymes et pressées plongeaient vers leur journée de travail; aux arrêts, certaines montaient, d'autres descendaient, l'ignorant totalement. Pourtant, elle se sentait bousculée chaque fois qu'un passager la frôlait. Elle n'avait plus l'habitude de la proximité d'étrangers. Différents parfums, un relent de fumée, une haleine, agressaient son odorat.

Dehors, dans un désordre zébré de rails, un paysage lépreux griffonné de graffiti défilait. Ses yeux ne pouvaient vraiment faire la mise au point sur la grisaille qui l'entourait. L'opposé de la page blanche. Elle se frotta les yeux comme s'ils étaient salis; elle voulait effacer la laideur environnante dont elle ne distinguait pas encore les contours. Un mauvais film passait devant elle.

Le frottement des roues sur les rails, le claquement des portières qui s'ouvrent et se referment, les murmures sourds des gens, le raclement des souliers et des roulettes de valises sur le sol, tout ce brouhaha faisait renaître en elle des souvenirs lointains. Dans un amalgame confus de sensations et de visions rejaillies, elle regardait en elle défiler de brefs instants, des scènes sans importance qu'elle avait vécues des années plus tôt, au quotidien, et qu'elle ne remarquait plus alors à force d'habitude. Maintenant, il lui semblait qu'elle faisait ce trajet pour la première fois.

Dans le train qui la conduisait de l'aéroport Charles-de-Gaules au centre de Paris, alors que son corps alangui ballottait de gauche à droite, selon les cahots et les virages, Nadine avait du mal à respirer. Était-ce la fatigue du voyage, l'air vicié si différent de la brise vive de sa vallée canadienne? Était-ce le poids de souvenirs invisibles? Elle se revoyait étudiante, courant à la Sorbonne, ses livres et ses notes de cours serrés dans un cartable. À cette époque, elle voulait aller plus vite que le temps, filant d'une place à l'autre, happant au passage tout ce qu'elle pouvait apprendre, comme si elle craignait de ne jamais pouvoir contenir tout le savoir du monde auquel elle aspirait, frénétiquement, essayant à tout prix de compenser l'ignorance de générations dont elle tentait de s'extraire. Déjà en ce temps-là, elle avait eu du mal à s'habituer aux odeurs. Le relent de tabac froid qui flottait dans les couloirs du métro l'agressait au sortir de ses années d'enfance passées non loin des rives de la Bellaigue, au domaine des Glycines, sous l'arche fraîche de la tonnelle de grappes mauves. Le temps de l'innocence, où tout semblait immobile, telle une alouette en plein ciel de juillet.

Le RER s'engouffra brutalement dans un tunnel. Le grondement du train s'assourdit. Des visages sans expression se reflétaient sur les vitres du wagon. Certains, cachés derrière leur journal, lisaient les nouvelles. Nadine remarqua sur ce miroir sans tain son propre air hagard, ses cheveux défaits. Sorte de daguerréotype révélant vaguement sa jeunesse évanouie. En déchiffrant les noms des stations, elle tentait de revivre les moments de lumière qu'elle avait vécus en ces lieux, vingt ans plus tôt. Les jours où elle partait, son sac à dos bourré, vers la Gare de Lyon pour s'échapper dans les montagnes, glisser sur les pentes enneigées avec des copains. Les jours où elle pouvait marcher un peu dans le Quartier Latin où flottait une odeur alléchante de pâtisseries tunisiennes, ceux où elle s'offrait l'évasion d'un film en soirée. Celui, enfin, où elle était sortie du bureau de son directeur de thèse, un sourire de satisfaction sur les lèvres : elle venait de franchir une étape. Elle se souvint aussi de son long foulard de coton indien parfumé au vétiver dont elle se couvrait le nez quand les odeurs environnantes se faisaient trop fortes et lui soulevaient le cœur, en fin de journée surtout.

Arrivée à Châtelet, Nadine descendit pour prendre sa correspondance en direction de la Porte d'Orléans, marcha à travers le dédale des couloirs à l'aveuglette et s'engouffra dans le métro qui entrait tout juste dans la station. Heureusement, elle avait pris un minimum de bagages, contrairement au jour où elle était partie, vingt ans plus tôt, pour le Nouveau Monde.

Au même arrêt, un musicien monta et commença à jouer de son accordéon. Comme avant, pensa-t-elle, les artistes étaient toujours là à quémander quelques sous. Elle fit non de la tête avant même qu'il ait demandé quoi que ce soit. Vieux réflexe rejailli du fond de sa mémoire. Il y avait de moins en moins de monde dans le wagon et elle s'assit sur un strapontin. Debout devant elle, planté sur ses jambes habituées aux cahots du train, le musicien jouait sans se préoccuper de ce qui l'entourait. Les murs noirs du tunnel défilaient et les doigts de l'accordéoniste couraient de touche en touche. Assise mollement, elle avait de plus en plus de mal à respirer. Pas à cause des odeurs cette fois, à cause de la musique. Pas parce qu'elle n'avait pas encore changé ses dollars canadiens et qu'il lui serait impossible de faire l'aumône au musicien. Elle ne savait pas pourquoi.

Dans le ventre sombre de Paris, alors que dehors le printemps explosait en milliers de corolles mouillées de rosée dans les jardins et les parcs, les larmes se mirent à rouler sur les joues de Nadine. Une valse des années cinquante remplissait ses oreilles et elle pleurait, sans que personne la remarque, pas même l'accordéoniste perdu dans ses pensées alors qu'il jouait mécaniquement. C'est trop, pensa-t-elle, les joues ruisselantes, c'est vraiment insupportable, mais pourquoi? Le train entrait dans la station Saint-Michel. Ce n'était pas sa destination, mais qu'importe. Elle empoigna sa valise et se précipita à l'extérieur du wagon, se dirigea à grands pas vers la sortie, et bientôt, haletante, découvrit le ciel pâle de mars. L'accordéoniste avait poursuivi son trajet dans le tunnel obscur, tout en jouant la valse dont elle n'arrivait pas à retrouver le nom; il n'avait sans doute pas remarqué son départ, ni le siège vide juste devant lui. Il ne savait sans doute pas que sa musique avait provoqué autant d'émoi.

Marcher. Nadine avait besoin d'errer. Elle se dirigea vers les rives de la Seine, passa par l'île de la Cité. Près de Notre-Dame, elle traversa un marché aux fleurs rempli de parfums de mimosas et d'œillets; elle frissonna en pensant qu'il neigeait lorsqu'elle était partie de chez elle, quelques heures plus tôt, qu'il neigeait sans doute encore. Des moineaux piaillaient dans un buisson. Bientôt, elle s'arrêta sur les bords du fleuve, près des bouquinistes, s'assit sur un banc et regarda ses larmes tomber sur ses genoux, puits d'oubli. Cette valse sans nom, se dit-elle, a dû être celle de l'assassinat des rêves de ma mère. La jeune Cécile, sur cet air, s'est laissée berner dans les bras de Marcel, son beau soldat aux yeux bleu délavé. Pauvre Cécile qui n'a jamais fait tourner sur aucune autre valse cette jupe plissée soleil dont elle rêvait, qui n'a jamais vu scintiller de rivière dorée autour de son cou. Des images de bonheur, parmi tant d'autres, qui n'ont jamais existé que dans son imagination et sa désillusion. Les promesses de Marcel n'ont vécu que l'instant du désir. La valse s'est suspendue, le soupir dépasse le temps. Et la musique rejaillie du tunnel grouillant de monde pressé, porteuse d'une estampe de vie volée, faisait à nouveau couler les larmes du regret.

En redécouvrant le pays oblitéré de sa jeunesse, Nadine se demandait, voyant ressurgir dans ses souvenirs la photo en noir et blanc de leur mariage, si ses parents avaient fait un beau voyage de noces à Paris ou si sa mère l'avait inventé. Elle revoyait leur demi-sourire, le regard désemparé de Cécile, son air traqué, comme si elle découvrait le piège dans lequel elle était en train de tomber. Le temps avait fait tourner les pages du calendrier, confirmant ses craintes.

En marchant sur les rives de la Seine, plusieurs décennies plus tard, Nadine se sentit alors coupable. Adolescente, elle avait fui le foyer, incapable d'être témoin plus longtemps de la grisaille quotidienne qui avait peint sur les murs ses fresques d'ennui. Des mots, des sons, des gestes s'étaient perdus, ils avaient mis un tel déguisement sur la carte élastique de l'amour qu'ils n'avaient plus jamais retrouvé leur chemin. L'homme aux yeux bleus n'aimait que ses plaisirs égoïstes. Déchirée entre son élan de compassion pour la poupée de chiffon que Cécile était devenue, et son propre besoin de respirer, Nadine avait opté pour la route. La fuite. Maintenant elle revoyait la frêle figure de sa mère, privée des seules joies que leurs fous rires lui apportaient, elle revoyait sa lente agonie qu'elle avait pourtant niée jusqu'aux derniers instants.

Les mots pouvaient-ils refaire le monde, pouvaient-ils rendre à Cécile ce que la vie lui avait refusé? L'enfant vieillie ouvrit son carnet et laissa l'encre traverser le prisme de sa mémoire, miroir déformant de ce qu'elle pensait avoir vu et vécu. Nadine écrivit à la jeune femme d'avant sa naissance, celle qui aurait pu encore s'échapper si elle avait su. «Il est vrai que nous avons ri, que nous avons couru dans les prés. La simplicité et la joie de vivre nous habitaient quand il n'était pas là à rôder comme la mort, mangeur d'enfance, geôlier aux clés rouillées, assassin silencieux et sournois. Je n'ai pas su arrêter ces moments de bonheur que nous avons partagés, je n'ai pas su anéantir la peur, j'ai fui et je t'ai abandonnée. Mais tu es à moi, tu es en moi pour toujours. Ce qui fut et ce qui est toi habite en moi et cela, il ne l'aura pas. Notre tendresse dépasse la vie et la mort. Je veux remonter le long fleuve du silence et de l'oubli, je veux retrouver l'essence de ce qui fut nous, de ce qui fut toi. Pendant ce temps, lui glisse inéluctablement vers cet instant où il sera enfin muet, cloué entre quelques planches de bois de caisse.»

Elle repensa à son obsession de jeunesse : cette envie de se laver, de se frotter, d'exfolier jusqu'aux gènes, jusqu'au nom. Nettoyage, assainissement, jusqu'à l'oubli de l'origine. Renier l'appartenance qui semblait si improbable, effacer la honte de la filiation.

Une vieille dame s'arrêta et lui demanda son chemin. «Vous avez de très beaux yeux», dit-elle en s'éloignant. Des yeux bleus comme ceux de Marcel. Mais Nadine reniait aussi cela et attribuait l'azur de ses iris à d'autres lointaines sources, qu'elle préférait inconnues et pouvait donc réinventer, remodeler. Qui d'autre avant elle avait eu ces mêmes yeux qui avaient jeté sur le monde un regard étonné, émerveillé ou enragé? Surtout, ne pas ressembler à celui qui n'avait pas tenu ses promesses. Car comment pouvait-on avoir des yeux si transparents et l'âme si noire? «Je ne sais habiter l'âme des autres, je ne sais comprendre le mensonge mais je connais cette rage qui me torture. Mon histoire devient de plus en plus floue chaque jour, pourtant ces fragments de noirceur, d'ombre corrosive, sont réels. Fragments épars, sans ordre chronologique ni repères, sans mots précis pour les dire, mais qui se sont incrustés insidieusement dans mon corps. Il me faudra le bistouri de l'écriture afin de les ôter, de faire peau neuve. Je ne cherche ni l'excuse ni le pardon. Simplement trouver les mots qui apaiseront ma colère. Boucler la boucle. Sortir du tunnel du temps. Respirer l'harmonie aux morceaux recollés.»

Elle observa la vieille femme s'éloigner tranquillement. Silhouette presque familière... Le regard en arrière ne devrait pas être trop long. Nadine se demanda le sens de son exil et écrivit encore un peu. Les yeux enfin secs, la tête enfin silencieuse, elle se leva et s'engagea sur le pont du Carrousel qui enjambait le fleuve. Au loin, la Tour Eiffel se dressait sur le ciel nuageux. Le musée du Louvres dans son dos, le Musée d'Orsay en face d'elle, Nadine s'arrêta au milieu du pont. Longuement, appuyée sur le parapet, elle regarda l'eau couler, encre libérée. Lien entre la source et l'océan. Puis elle respira profondément, arracha à son carnet la page de sa lettre posthume dont déjà certains mots avaient été dilués par ses larmes, et la laissa emporter vers les flots.

Claude Lamarche

Mémoire de vies

François-Xavier Noir   *Mémoire de vies*   2006

Au grenier de ma tête, ma mémoire étouffe.
Jean-Paul Filion

JE SUFFOQUE. Envie de sortir, d'être au grand air. Tout m'envahit, me bouscule, m'irrite. Un cordon me serre la gorge. L'hiver se prolonge, le vent demeure bourrasque, le froid freine le printemps. Une explosion qui tarde à éclater. Le repos dans des eaux utérines accueillantes s'achève et j'ai peur des vagues mugissantes qui m'attendent. Par petits coups, ma chair crie à l'envahisseur. Des grondements sourds, des scénarios meurtriers, un trac sans entrée en scène s'installent dans la noirceur de l'enfant à naître. Comme un ours encore endormi dans sa caverne, figé, incapable de se réveiller pour aller voir la clarté du jour qui le délivrerait de son rêve virant au cauchemar.

Les pieds poussent sans trouver la sortie. La tête tourne et tourne à s'étourdir. Les yeux ne s'ouvrent pas. Et quand ils finissent par s'ouvrir, ne voient pas. Les oreilles collées au ventre de la terre, le chahut devient étourdissant. J'étouffe et les larmes ne me libèrent pas. Je sens une énergie pressante écrasée sur les murs d'un utérus fatigué. Des heures longues et difficiles d'avant ma naissance où peur et espoir se côtoient entre sourire et pleurs.

Le temps de venir sur terre approche. Je dois me retourner, crever les eaux, emprunter le tunnel, déchirer ma mère, fendre la vie, respirer, crier.

Avant de mourir, avant de naître, avant d'oublier, la mémoire de vies ressurgit. Un grand champ de conscience s'étale devant mes yeux clos et se faufile jusqu'à mon cerveau. À travers temps et espace se révèlent les errances de chacun et le parcours sinueux des miens.

J'ai choisi mes parents, ce lieu, cette époque. Ce n'est pas ma première venue en ce monde. Chaque fois, je doute. Tant de belles vies déjà, pourquoi une autre? Tant de fois essayées, mal commencées, autant de gaspillées, d'abjurées. Je viens expérimenter l'amour. L'amour des enfants, de la famille, des rues de Montréal, de la langue française, même si mes parents, eux, avaient d'abord choisi l'Irlande, la misère, la maladie. En cours de route, ils ont misé sur la migration vers ce Canada nourricier.

Après cet hiver si long de préparatifs, après cette traversée gravidique, j'ai hâte d'assister aux levers de soleil rosacés avec promesse des bourgeons rouges des érables. Au cœur de cet avril joyeux de rires d'enfants qui se délectent de sirop d'érable, je suis impatiente de découvrir cette insouciance où je pourrai oublier et me reposer de toutes ces vies vécues dans des mondes aux limites inutiles, dans des temps comptés, des pays en guerre, des amours déchirées.

Mes parents apprendront bientôt que je suis une fille. Les yeux bleus, les cheveux roux comme ceux de maman, les joues rougies et le sourire aussi généreux que celui de papa. Pendant deux ou trois semaines, ils verront en moi celle qu'ils ont perdue, la petite Gertie qui n'a existé que deux jours. Je serai Margaret Jane.

Mon père me bercera un ou deux mois, il ne me verra pas jouer. Papa, attendez un peu avant de rejoindre l'univers d'où je viens, quelques heures encore à travers sang et placenta et je vous aimerai. Papa, il vous reste si peu de temps à vivre, je ne connaîtrai de vous que les histoires de maman, les souvenirs de mes frères, votre bonté, vos silences. Vous n'aurez duré que trente-deux ans, bravant le typhus, le choléra, les tempêtes de la traversée en mer et vous mourrez dans un accident bête à la Gawen Gilmore, une manufacture de mèches où mon frère Patrick travaillera, après vous, pendant plus de soixante ans. Ne vous en faites pas, je ne vivrai guère plus longtemps que vous. Je franchirai tout juste le tournant du nouveau siècle.

Mais avant, j'habiterai près du canal Lachine, j'observerai les voiliers et les tout récents bateaux à vapeur qui me donneront à rêver. Au grand désespoir de ma mère inquiète, je jouerai sur la voie ferrée en me demandant d'où viennent et où se rendent les wagons de fer de plus en plus nombreux chaque jour. Cherchant mon propre chemin. Au retour de mes promenades de découvertes, en compagnie de ma sœur qui me tyrannise tout en m'apprenant paradoxalement la bonté, je nourrirai les poules, sèmerai le grain, ramasserai les pommes de terre. Chaque automne, maman s'étonnera, après plus de vingt ans de présence montréalaise, de voir la belle couleur dorée de ces tubercules. Elle n'a pas oublié les tiges noires et molles du mildiou dévastateur qui ont réduit ses parents à la mendicité, à la famine et à la mort. Une fois de plus, je cueillerai la vie, délicatement comme un jardinier.

Dès que je saurai écrire, je signerai Jenny. Dans mes petits cahiers d'écolière, avec un crayon de plomb — c'est tout ce que maman pourra m'acheter —, je prendrai plaisir à calligraphier les lettres, une par une, comme un beau dessin. Plus tard, sur les feuilles de musique que ma fille Annie m'apportera de son couvent des sœurs de Sainte-Croix, entre les lignes de la portée, j'apposerai fièrement «Jenny» comme si c'était un acte notarié. Savoir écrire, c'est pouvoir laisser des traces.

J'apprendrai un peu du gaélique de mes parents, mais je serai fière d'écrire et de parler le français, la langue d'origine de mon mari, Philéas Deguire. Ce bon Philéas quittera la côte Saint-Laurent, où tant de Deguire se sont établis, pour devenir boucher à Saint-Henri. Maman s'enorgueillira d'avoir un gendre qui lui offrira si généreusement cette viande dont elle fut tant privée dans son enfance irlandaise. Elle pourra enfin se reposer de tous les planchers lavés pour subvenir aux besoins de ses enfants. Ses mains rugueuses pourront tricoter, pendant ses nuits de jonglerie, à la lueur d'une vieille lampe à huile, des centaines de paires de bas, qu'à pied, elle viendra nous porter avant d'en donner quelques autres aux pauvres de la paroisse. Maman, si froide en apparence parce que les mots lui manquent, donne son cœur dans les bas tricotés, dans les soupes servies, dans les cheveux peignés.

Je verrai ce que je suis venue voir, je laisserai des sillons que d'autres raconteront. Avant que ma mère et ma sœur bien-aimées choisissent le chemin de l'autre côté de leur vie terrestre, j'aurai permis à sept âmes nouvelles de les rencontrer, deux autres encore après leur départ. Neuf enfants à aimer, à vêtir, à nourrir, à offrir à Dieu que je prie chaque matin. Annie et Éveline entreront chez les religieuses de Sainte-Croix. Tellement différentes, l'une sévère, austère, l'autre, plus joyeuse, taquine à l'égard de ses neveux et nièces. Albert, l'aîné, refusera de se marier tant que ses frères et sœurs n'auront pas trouvé leur autonomie. La consumption emportera Rodolphe au beau milieu de son adolescence. Alice restera célibataire. Léo deviendra le protecteur des faibles et le gardien des traditions. Pecci sera le premier à prendre femme. Le grand Philéas vengera son père en vivant jusqu'à quatre-vingt-huit ans. La petite dernière, Éva, qui ne connaîtra pas ses parents. Je ne verrai presque rien de ces vies que je leur aurai données.

Je souffre à venir au monde, je souffrirai jusqu'à la mort pour mettre les miens sur cette terre qui m'offre la chance de grandir. Exsangue, je mourrai en laissant à Éva sept frères et sœurs orphelins. Leur père Philéas ne me survivra que de quelques mois. Les enfants se disperseront entre orphelinat, collège et couvent. Unis dans leurs épreuves respectives.

Je vois défiler, tels les trains de mon enfance, toutes ces existences qui reviennent essayer de comprendre, je les oublierai bientôt.

Le bouchon muqueux se retire, le muscle utérin de maman m'invite finalement à passer dans le col dilaté, je quitte cet amnios et, en ce 17 avril 1866, je vais crier à l'univers entier ma venue au monde. En quelques mois, le remuement des choses entre dans mon esprit et souffle sur ma mémoire de vies qui retourne à l'énergie divine. J'emprunte déjà d'autres passages plus encombrés.

Loïse Lavallée

Bifurcation

François-Xavier Noir   *Bifurcation*   2006

E N CETTE MATINÉE du jeudi 14 février, une épaisse couche de neige enveloppait le paysage. S'il avait neigé à gros flocons toute la semaine, le ciel s'était dégagé pendant la nuit et la température avait chuté à moins trente-cinq. La nature semblait figée dans un silence éthéré. Le bleu du ciel azurait les champs et découpait les arbres en d'innombrables morceaux de sucre aux formes hétéroclites. J'avançais sur la route avec appréhension, le souffle court et les yeux mouillés.

Une heure plus tôt, j'avais reçu un appel au bureau; mon père se mourait. J'étais tout de suite partie et je roulais maintenant vers Montréal, espérant ne pas arriver trop tard. Je pensais à lui, au nombre incalculable de fois où il avait fait la route en sens inverse avec ma mère; vingt-six années d'allers-retours entre Montréal et Gatineau pour venir me voir, sarcler mon jardin, regarder grandir ses petits-enfants et les gâter. Papa aux yeux bleus comme ce ciel d'hiver, au rire engageant, à la gourmandise reconnue, aux colères brèves mais foudroyantes, à la tendresse salvatrice... tant de souvenirs m'envahissaient subitement et me faisaient peser sur l'accélérateur. *Je m'en viens papa, attends-moi!*

La route venait à peine d'être dégagée. Le chasse-neige avait gratté la surface jusqu'au noir de l'asphalte, laissant la chaussée ainsi libérée plus sensible à un brusque regel. Ma voiture a dû glisser sur une plaque de glace noire, je ne sais plus très bien, si ce n'est que j'ai perdu le contrôle. Complètement. Impuissante à corriger ma trajectoire, je vécus la scène en spectateur, détachée de l'événement, observant ce qui m'arrivait avec une singulière fascination.

Il parut s'écouler une éternité entre l'instant où l'auto bifurqua, glissa sur la voie de gauche, prit son envol, tourna sur elle-même et s'enfonça, toiture première, dans deux mètres de neige. Une éternité où je me rappelle avoir pensé : *non, pas tout de suite, je ne suis pas prête, je ne peux laisser mon fils sans sa mère, lui qui n'a pas encore de famille bien à lui pour le consoler.* Un bruit sourd succéda à cette pensée : l'impact de ma voiture qui s'enfonçait dans la neige et m'enterrait vivante.

Dans les instants qui suivirent, je ne vis rien, ne sentis rien, aucune pensée ne traversa mon esprit. Telle une éclipse, une profonde noirceur obstruait la blancheur de la neige et le bleu du ciel. J'y cherchai des points de repère, mais rien ne put m'orienter. Puis, cette obscurité m'aspira à mon tour, me projeta à l'intérieur de moi-même et je me retrouvai tout entière dans ma tête. Aérienne et fluide, je n'étais plus que le principe de ma propre conscience. Je me déplaçai dans mon cerveau, contournai lobes et membranes, glissai allègrement entre les sutures de mon crâne, écartai les os qui avaient jadis recouvert ma fontanelle. Là, mon esprit fit une brève pause, il hésita. Je me souviens d'avoir éprouvé une certaine tristesse à devoir quitter ce corps pour qui j'avais de l'amitié. Il m'avait toujours donné l'heure juste et je m'étais attachée à lui. Au cours des années, des êtres que j'avais profondément aimés avaient quitté le leur et maintenant c'était mon tour. J'en fus honteuse et pourtant, je ne pus résister à l'étrange incitation dont je faisais l'objet. Mon esprit se sépara de mon corps en vertu d'un pouvoir qui ne m'appartenait pas, je pris un élan et, sans plus réfléchir, je sortis de ma tête.

Ainsi libérée, je me mis à flotter vers le haut, traversai le métal cabossé de la voiture, creusai un tunnel pour sortir du blanc tombeau dans lequel je me trouvais ensevelie et continuai mon ascension jusqu'à l'embouchure d'une route qui me parut interminable. À ce moment-là, je me suis dit que je devais être morte puisque, de toute évidence, j'avais quitté mon enveloppe charnelle. Pourtant, je n'avais pas perdu mon identité. J'étais toujours moi. Moi l'âme, moi l'esprit, moi le souffle conscient de ce corps abandonné comme un vieux vêtement sur le siège avant de la voiture. Je fis quelques pas prudents sur ce que je savais être la voie de l'éternité. Dans cette atmosphère de lumière et de calme, je me sentais en paix. Des orbes de substance électrique circulaient en tous sens et un sentiment d'amour incroyable m'habitait.

Or, sous-estimer la vie est une erreur, elle s'accroche et insiste jusqu'à la fin. Même là-haut, le torrent des années vint m'assaillir par vagues déferlantes sous forme de souvenirs anodins, d'images intenses et de sentiments décuplés. Je passai à différents niveaux de conscience, sautant indifféremment d'un âge à l'autre sans m'y attarder. Je me revis à deux ans dans le carré de sable, mon chien veillant sur moi, je ressentis la douceur d'un pyjama blanc à pommes rouges que j'avais porté une veille de Noël, je reconnus avec attendrissement la petite fille qui voulait si bien faire, l'adolescente qui s'était donné comme mission de faire rire ses amis. À nouveau, je devins invincible, suspendue aux fils de mon parachute, je retrouvai l'île rouge de Madagascar, revécus mon atterrissage à Bombay en pleine nuit. Je revis même des amants que j'avais trop aimés et qui m'avaient brisé le cœur. Enfin le plus beau, la naissance de mes enfants et le plus horrible, la mort de ma fille, la preuve cruelle qu'on peut survivre à tout. Allais-je maintenant la revoir ? Étais-je prête à quitter mon fils ? Le mirage de cette fantasmagorie me ramena à la réalité. Je me suis arrêtée subitement, me suis retournée et j'ai osé regarder en bas.

Je vis les roues de ma voiture émerger de la neige dans le fossé entre les quatre voies de l'autoroute. Dans la direction que j'avais empruntée, d'autres voitures s'étaient arrêtées à droite de la chaussée et des gens regardaient entre les clignotants rouges de l'auto de police et ceux de l'ambulance. Mon attention fut attirée par le tunnel qu'on avait creusé du côté gauche de ma voiture ensevelie. Était-ce le même passage que j'avais moi-même excavé tout à l'heure ? Ou était-ce un autre corridor souterrain, parallèle au couloir que mon esprit avait emprunté pour se libérer ? Une curiosité morbide me fit passer devant les témoins qui s'étaient regroupés et je me vis allongée sur la civière, immobile. Mon corps était translucide et bleuté, si pâle. Était-ce déjà un cadavre ? Un ambulancier emprisonna mon cou dans un col cervical, puis s'activa pour me réanimer. Un agent dirigeait la circulation pour empêcher les curieux de créer un embouteillage et, tout à coup, la scène m'ennuya terriblement. Je réagis comme je le faisais habituellement lorsque je dépassais un accident de la route : je détournai les yeux.

Tout de suite, je me sentis mieux et je vis là un signe, j'en avais fini avec en-bas. Jamais je n'avais ressenti aussi parfaite sérénité. Je repris lentement ma route et m'orientai de nouveau. Je faisais face au nord, au boréal et à ses aurores opalescentes. Vers l'est, je vis des montagnes à perte de vue tapissées d'érables rouges et de grands pins verts. Sous mes pieds, coulait une rivière couverte d'écume blanche, enrubannée de chaque côté de bancs de sable et de coquillages de toutes sortes. Il aurait fallu que je me retourne une deuxième fois pour apercevoir les paysages du sud, mais je savais combien cela était risqué. Comme je ne voulais plus redescendre sur terre, je tournai mon regard vers l'ouest et me retrouvai dans mon élément de prédilection : des jardins qui s'étendaient à l'infini, abritant des essences de fleurs en abondance, m'invitaient à explorer leurs espèces, à m'enivrer de leur parfum, à sentir la texture de la terre entre mes doigts. J'allais bifurquer vers ces jardins, quand je pris conscience d'un rocher se dressant devant moi. Il me coupait la route. Le rocher n'était pas très haut, mais le sentier avait rétréci à un point tel que je devais l'escalader si je voulais voir de l'autre côté. Ce que je fis.

Je compris alors que cette masse de pierre marquait la frontière entre deux vies et qu'une fois cette frontière franchie, je ne pourrais plus revenir en arrière. Ce qui s'étendait devant moi à l'infini était l'amorce d'une autre histoire. Mon identité personnelle allait se fondre à la Toute-conscience. Le paysage n'était que brillance, rayonnement aux fréquences multiples dont les variations passaient de la lumière la plus pure à une gamme de couleurs irisées. Des présences lointaines comme des planètes voilées s'affairaient à des années-lumière alors que, plus près, de minces voiles de sphères suspendues se promenaient dans une transparence laiteuse. Par instants, un frémissement d'une teinte un peu plus prononcée me faisait comprendre que j'avais affaire à une âme qui palpitait près de moi, et c'est à ce moment-là que je perçus l'âme de ma fille. Il n'en fallait pas plus. Transfigurée, je me préparai à passer du côté de l'éther vivant qu'elle habitait.

Comme j'allais de l'avant, je sentis que la faculté de bouger m'avait complètement abandonnée. Puis la voix de mon père se fit entendre : *ne crains rien, je l'ai retrouvée et nous nous sommes entendus elle et moi, tu ne dois pas traverser.* Je sus tout de suite et de manière absolue que papa avait rendu son dernier souffle. Toutefois, avant de poursuivre son voyage, il avait une dernière fois refait la route qu'il connaissait si bien de son vivant et il était venu me rencontrer à mi-chemin. Il voulait me rendre à la vie. Je le vis s'approcher, tendre la main vers mon visage. Ses yeux étaient à la fois tristes et déterminés. *Ma belle eau vive!* dit-il. Puis il me toucha. Le contact de sa main sur ma joue coïncida avec un cri qui s'échappa des profondeurs de mon être. Mon hurlement, insupportable, déchira l'obscurité et me ramena sur terre. J'avais réintégré mon corps et j'ouvris les yeux dans un terrible frissonnement. Le vent d'hiver soufflait sur moi pendant qu'on mettait ma civière dans l'ambulance.

Carole Martel

L'autre côté du ciel

François-Xavier Noir   *L'autre côté du ciel*   2006

À la mémoire de mon père

C HAQUE AMOUR *est un début de fin du monde.* L'ai-je
lu quelque part, je ne sais plus... mais à trop vouloir le taire, j'ai consumé la moitié de mes jours.
En revanche, munie de ses onze chandelles, ma fille en cerna
l'évidence. Plutôt brillante ma Charlotte. À cet âge on se croit
à l'abri, le pire n'existe pas. Le temps s'étire mollement, on joue
à la marelle, on attrape un bon rhume et bang! Sans qu'on y
prenne garde, l'existence tout entière déraille et charrie dans
sa course ce petit grain devenu dérisoire, un reste d'innocence.
Trop tard hélas pour rebrousser chemin. Cette perte s'incruste
et nos joies désormais ne cesseront d'en mesurer le vide. Vaincu
d'avance, on se dit qu'il vaut mieux saisir au plus tôt combien
la vie s'invente en un épais brouillard. Encore faut-il savoir
manœuvrer. Pour ma part, je n'irai plus très loin.

Autour de moi des ombres se bousculent. Insensible et
rageuse, une hallucinante cacophonie se refuse à abdiquer. Au
bout d'une perfusion, des bras s'affairent sans ménagement.
Partout, j'entends leur souffle rauque s'unir puis se fondre afin
de repousser je ne sais quel ennemi.

Bravant l'assaut, on m'implore, secouant d'un geste sûr
jusqu'à mes dernières convictions. Dois-je résister? À quoi bon,
ce combat n'est plus le mien. Ma bataille se livre de l'intérieur,

un face-à-face à bout portant. D'épisode en épisode, le moindre petit détail circonscrit en une cellule unique qui disjoncte et m'irradie. J'en tirerai au moins une ou deux anecdotes pour attendrir la famille. Je l'avoue, ça coince un peu du côté des artères, rien de très alarmant. Allez... je ne franchirai pas le point de non-retour. Le long tunnel et la lueur vaporeuse ne figurent pas sur mon calendrier. Pour ce genre d'évasion, je préfère la montagne.

Étrangement, on ne semble guère de mon avis. Un médecin de passage triture à présent ma carcasse, fouinant dans ma chair à l'aide d'une seringue étincelante. Mais lâchez-moi un peu. Ma parole, il s'en fout! À ses yeux, je ne suis qu'une masse soumise, une inscription erronée sur laquelle on s'acharne. A-t-on jamais vu pareil incompétent? Croyez-moi, je sais ce qui arrive quand on force la dose. L'univers miroite et se confond, la langue se dessèche, s'affale lourdement, puis... j'étouffe!

*

J'ai dû m'assoupir, le lieu paraît si calme. Bien ancré sous les couvertures, je suis toujours là ou presque, à distance, comme si je planais sous une mince couche de verre. D'abord flou, l'autre côté du décor se précise sans aucun moyen d'émerger. Un voile translucide me sépare du superflu, m'en dispense peut-être. Suspendu entre ici et ailleurs, vaut-il mieux lâcher prise, profiter du voyage, de son insolite tranquillité? Par prudence, je guetterai du coin de l'œil une fissure assez large pour m'éjecter. Ça risque de s'éterniser. Tendu sous l'effort, mon corps ne répond plus à l'appel, complètement abruti par les injections du costaud en blouse blanche. Qu'importe... pourvu que je m'entende réfléchir.

J'ignore encore l'étendue des dégâts, mais sur ma peau une respiration frémit. On me surveille de près. Une infirmière de nuit sans doute entame sa ronde, humectant de sa main fraîche mon visage impassible. Voyez-vous ça! Moi, le tombeur, réduit au rang de pauvre Poucet quémandant sa minute de grâce et incapable d'en jouir. J'ai connu des heures plus chaudes. Des femmes délicieuses m'ont enflammé sans pour autant que je les touche. Je suis collectionneur, mais seulement d'œuvres d'art.

Un passe-temps anodin devenu obsession. Je pille tout avec un appétit vorace, presque démentiel. Une telle rage d'inédit, un besoin insatiable de m'accrocher à quelque chose de plus grand, de plus fort que la bêtise, pour tenter d'oublier à quel point je piétine. De rupture en rupture, rien en moi n'inspire l'illumination. Un père plus qu'ordinaire, doublé d'un amant bien décevant.

Accompagné de Manu et de Charlotte, je longe donc les murs des galeries à la recherche d'un vertige. Prostré devant la toile, tandis qu'à quelques pas, un autre que moi tressaille sous le regard amusé de ma fille. Sans plus de gêne, il suffit qu'un modèle affiche des rondeurs pour qu'aussitôt Manu en déclenche le balancement d'un simple glissement de doigts. Je me souviens qu'un soir, les violentes secousses de l'usine à papier aidant, il gravit, en se tenant les côtes, les hautes sphères de la contemplation. «Regarde un peu le travail, s'écria-t-il enchanté. Inutile de fournir mon coup de pouce au destin, ça bouge par miracle!»

Increvable voyeur, Manu ne se prive jamais d'enlacer des yeux, ce qui explique probablement son célibat. Un esprit tordu, assurément frivole, dont personne ne peut nier qu'il possède un goût certain pour les formes. J'adore ce gamin de deux cents livres qui ébranle jusqu'à mon idéal féminin. Le seul problème,

Manu a vraiment l'air d'un mec. Alors, on partage un condo, les factures, notre adoration maladive pour Charlotte. Tout bref... sauf la chambre. Un vieux couple!

Fin courtisan, son œil avisé me valut plus d'une fois d'insoutenables frissons. À faire pâlir d'envie l'ensemble de mes ex. Mais le plus délirant de l'aventure survient lorsque l'on croise en route un Picasso célèbre. Ha! Il faut voir le plaisir indécent que j'en retire dès que ce pitre me susurre du bout de la langue : «Quand un homme peint une femme de façon si singulière, crois-moi mon beau, elle le dépasse...» Je craque et j'en redemande. C'est aussi savoureux qu'une grimace de Charlotte devant les pamplemousses. De petites miettes sans conséquence, me direz-vous, qui comblent pourtant tous les creux de mes nuits d'insomnie.

En vérité, devant ce fou furieux, mes lubies ne pèsent pas lourd. M'accorder un semblant de sursis n'y changera rien. Je finirai mes jours dans un trois pièces minable avec vue sur l'usine. À n'entrevoir, dans *Les Coquelicots* de Monet, qu'une infinité de taches sanglantes pour dénoncer mes tristes errances et, dans *Les Nymphéas*, qu'un sol mouvant où j'aurai perdu pied...

Malgré moi, la nuit avance. Matière fugace, mon néant se transforme au gré des heures. Une toile que seul j'imagine. C'est terrible de ne trembler qu'en esprit, fouillant les recoins de sa mémoire pour se sentir vivant. J'ai si peur de ne pas en revenir. D'aussi loin, qui m'entendra?

Oh non! Des bruits sourds dans le corridor projettent leur écho. On sonne ailleurs et la main se retire. Son absence me brûle plus sûrement que le froid qu'elle fait naître. J'ai la joue orpheline. Ne partez pas quand tout mon corps supplie. On ne quitte jamais un homme enfin prêt à comprendre. Cerné, ce n'est pas suffisant puisque ses pas s'éloignent en contournant le lit où elle lisse le drap. «Il faut dormir Francis», chuchotent ses lèvres avant qu'elle ne disparaisse en refermant la porte derrière l'enfant qu'on borde.

*

Non... je ne rêve pas. Manu vient de franchir le seuil de mon antre aseptisé. Je reconnaîtrais son pas entre mille tant il chaloupe. D'habitude, ce frottement du talon prend des allures de fête. Pas aujourd'hui, il se rapproche obstinément. Mauvais signe!

— Salut mon beau, t'as une mine plutôt sympathique... pour un comateux. Je ne te savais pas si douillet. Alors, on se déguise en courant d'air, rasant le sol en quête d'un pardon? De grâce Francis, n'en fais pas tout un drame, Charlotte s'en remettra. On vieillit tous un jour ou l'autre. La preuve, devine qui m'accompagne?

Coma? Coma! Il y a des gifles qui secouent juste assez pour convaincre, surtout lorsque votre meilleur ami n'est pas du genre anguille. Un aveu franc, comme un rayon lumineux pointé sur la blessure. De quoi avaler votre inertie cul sec... mais ça ne rend pas fou. Même quand on s'absente sans carte ni boussole, on n'égare pas son billet de retour. On le garde, imprimé dans la peau en cas de panique générale.

Manu... je sens bien qu'elle est là ma rouquine. Depuis toute petite son odeur me chavire, un suave parfum de cannelle et d'orange. Toujours échevelée, mignonne et désarmante, Charlotte n'a pas changé d'un fil, son être entier n'acquiesçant qu'au désordre. Une conscience débridée, disais-tu, qui remodèlera notre manière de vivre.

L'automne où Christine, en mère libérée, nous a faussé compagnie, j'ai pris Charlotte sous mon aile. Tu as suivi après quelques mois, encombrant le salon de tes boîtes. On n'a jamais revu Christine, grand bien nous fasse! Très vite on a capitulé, nos beaux principes jetés en vrac à la corbeille. Dieu m'en préserve, on ne tient pas longtemps sous une telle emprise. Aux yeux de Charlotte, l'univers n'existe pas. Elle est persuadée que le ciel n'est rien de plus que le plafond de la terre. Au fond, pourquoi l'en dissuader. Imagine un peu combien d'espace il lui reste à combler, à inonder d'elle-même.

Grâce à elle, on a tout réappris de la famille. Ni refuge ni repère, mais un lieu extensible, sans titres officiels et sans meneurs de claques, où l'on échange les rôles selon nos préférences. Fidèle à ta nature, tu appuies la moindre initiative alors que je défends, sans grand succès d'ailleurs, les règles élémentaires. Quant à Charlotte, elle gronde aussi bien qu'elle console. À la fin, chacun tisse son petit bout de couverture pour nous tenir au chaud. Pour le reste, on improvise.

Le charme de Charlotte opère surtout le dimanche. Ce regard inviolé qu'elle porte sur le monde nous transfigure lorsqu'elle nous entraîne à son tour dans les musées de Tulène. Face à cette danse des mains, tantôt boueuse, tantôt de plomb, Charlotte rompt toute distance. Si étroitement liée à l'œuvre, il nous semble l'apercevoir à chaque détour d'un point de fuite. Du haut de ses onze ans, ma fille préfère les lignes droites qui, selon elle, sont les plus libres. Il est vrai qu'un trait continu ouvre toujours sur un possible qu'on ne soupçonne pas encore. On a donc cessé de prétendre connaître quoi que ce soit de plus de la peinture. Devant nous, offerte et sans contrainte, Charlotte renoue avec nos plus primitifs élans. Soudain, il n'y a plus d'angoisse, plus d'inconnu, que cette soif d'abandon qui nous bouleverse.

On ne désespère pas! De retour au bercail, notre rouquine s'étend sur les coussins tandis qu'on revisite nos classiques avec ce brin d'indiscipline qui nous fait cruellement défaut. Tu redéfinis les angles, savoures la chute d'un tracé qui s'estompe pendant que je bataille pour te voler des livres. À chaque fois notre bibliothèque se répand au profit du plancher. Partout des tours imprenables s'érigent dans un équilibre précaire. Une scène chaotique où se chevauchent styles et époques dans le seul but d'éblouir la diva du sofa. Qui aurait cru alors que j'en souffrirais autant...

*

Ce jour-là, debout avec l'aube, un bol de café au lait parfumant la cuisine, je sentis que la chance me tirait par le col. Feuilletant le journal, mon œil trébucha sur une exposition d'Émilie Narch. Je jubilais! Contrairement à toi, la démarche de cette artiste contemporaine me touche. Avec fracas, elle force le réel à se dévêtir, couche après couche, jusqu'à exposer notre confortable lâcheté. Notre civilisation en ressort pour ce qu'elle est : petit pas grand-chose qui fait bêtement jaser. Après tout, la terre tourne en rond depuis si longtemps. Émilie Narch, c'est provocateur, à la limite du tolérable. Une tache sur l'édredon qui persiste sans que l'on sache pourquoi. Plus on frotte, plus elle s'agrippe, la gueuse, nous crachant au visage notre vaine obsession. Rien n'y fera, on n'efface pas l'impardonnable.

Quoi qu'en colporte la rumeur, personne n'a croisé cette femme. Seules ses dénonciations nous servent de phare. À l'occasion de ses vernissages, chacun cherche, à travers la foule compacte, un visage digne d'elle. Après trois verres de bulles, je l'imagine élancée, narguant ses faux convives d'un regard perçant. Dans un excès de verve, tu t'amuses à la dépeindre en petite mondaine. Quel idiot! Il n'y a qu'une écorchée vive pour s'exprimer ainsi, à bout de cris.

C'était samedi, une tonne de corvées en perspective, rien de tel pour inciter l'invincible trio que nous sommes à partir à la conquête d'Émilie. J'attrapai quelques pêches, un bloc de cheddar et des biscottes, sans oublier le bras de Charlotte bien campé sur ma hanche, ravi qu'une étrangère fasse enfin se pâmer son paternel. Nous partîmes en tête, tandis que tu traînais derrière en rechignant.

*

L'entrée était déserte. On suffoquait. Frôlant les toiles noires qui servaient d'enceinte, nous progressions sans trop comprendre. Une tension vive régnait en ce lieu, aussitôt amplifiée par le martèlement de nos pas sur le béton humide. J'ouvrais la marche dans ce couloir interminable dont j'appréhendais de plus en plus la fin.

À notre gauche, au fond d'une pièce à peine éclairée, un autel où reposait un minuscule soulier d'enfant dévora tout l'espace. Blanc et sans lacet, ouvert telle une bouche avide qui ne gobe que misère, il attendait. D'où venait-il? De quelle lutte s'avouait-il être l'otage ou le maître? Tant de questions se heurtaient en moi, inutiles.

Soudainement transi, je baissai la tête et aperçus, clouée au pilori, une inscription semblable à celle du christ en croix. Ici se célébrait le meurtre d'une étoile. Sidéré, incapable du moindre geste, tout m'échappait. J'étais enfermé en cette minute entière où la raison se fragmente. Je me souviens seulement que ma voix s'éleva jusqu'à la brisure, laissant flotter dans l'air ce que j'y avais lu :

Voilà ce qui subsiste d'une nation
quand L'IMAGINATION des hommes
se croit
GRANDEUR NATURE...

Trop occupé à vaincre ma torpeur, j'avais oublié combien l'imaginaire possède aussi sa part d'ombre. Créer et détruire naissent d'un élan unique. Une étincelle de trop et voilà que tout bascule. Pourquoi toujours dissimuler cette faille tapie au creux de la création? Il suffit d'une guerre pour la dévoiler. Peut-être simplement que les mots demeurent si faibles quand vient l'heure de savoir.

Je ne sais combien de temps s'égrena. Je sentis la main de Charlotte effleurer la mienne puis serrer, serrer pour étouffer ce long sanglot qui me griffait la joue. Interdit, je n'étais plus qu'une moitié d'homme, un souffle impuissant devant l'absurdité.

Blême et le corps en nage, qu'avais-je fait, Manu? Toutes ces années à nier l'imparfait n'auront servi qu'à le rendre inconcevable. La peine de Charlotte soudée à la mienne et ta douleur appuyée dans mon dos, trop peu cette fois pour nous protéger. Bien sûr, Manu, on vieillit tous un jour ou l'autre, mais s'en remet-on vraiment? J'aurais tant voulu lui en épargner le doute. Puis soudain, comme à l'étroit, une pulsation déchirante a tout emporté. Par chance, le plancher m'a retenu, sinon je crois que je tomberais encore.

*

Au début, j'ai peut-être choisi la fuite, pas ce silence vengeur qui conspire. Ne mens pas, Manu... je sens les blouses blanches qui s'agitent. C'est fou ce qu'elles s'emballent lorsqu'un cœur se refuse. Tant d'ardeur pour une simple défaillance, le poids du remords qui use imperceptiblement.

Regarde-les, une fois de plus, ajuster les ficelles avec frénésie. Quel acharnement pour un ventriloque qui brouille les pistes sans pour cela tirer sa révérence. Crois-moi, j'ai entrevu l'ébauche d'une réponse, mais aucune certitude qui vaille qu'on se perde. Je m'en doutais bien! Au fond, c'est mieux ainsi, il n'y aura jamais eu que sa petite main qui bat pour deux.

Ô ma Charlotte! si tu pouvais m'entendre, moi qui hurle si fort à travers leur vacarme. Vois quelle œuvre je suis, un trait continu, libre entre tous. Pour eux, ma fin s'annonce sur le petit écran. Ça sent déjà les fleurs au générique. Allons, ne t'inquiète pas, ma douce, je reviendrai. J'ai au moins compris que toutes les lignes droites ne mènent qu'à toi...

Pierrette Micheloud

Du tunnel à la tonnelle

François-Xavier Noir   *Du tunnel à la tonnelle*   2006

I L SE NOMME *Sapiens*. Il marche à grands pas, le cerveau
bouillonnant de projets, de calculs, de plans. Sa progéniture derrière lui.

Quelqu'un, soudain (homme ou femme, difficile à distinguer), quelqu'un dont il doit se méfier le prend par le coude,
tente de l'arrêter. Aussitôt repoussé :

— Ôte-toi de mon passage, les affaires n'attendent pas, le
temps non plus.

— Le temps est élastique. Je voudrais t'amener sous la
tonnelle où bruissent de doux feuillages, t'offrir une boisson
rafraîchissante. Tu sembles mourir de soif.

— Moi? Mourir de soif? Le vin de mon quarante millième
anniversaire pétille encore tout frais dans mon sang.

— Cela n'empêche pas que tu meures de soif. La preuve
m'en est donnée par la façon dont tu t'agrippes aux aspérités
de ton tunnel.

— Divagation! Tu ferais bien de fermer l'usine de tes mots
imbéciles...

L'autre ne se laisse pas intimider. Le retenant par les revers
de son veston :

— Écoute-moi quand même! Tout tunnel suppose une
sortie, à moins qu'on y meure. La sortie, c'est la tonnelle du
ciel entremêlée de chèvrefeuille, sous laquelle je t'invite.

— Lâche-moi! Si je n'avais un *attaché-case* à chaque main, tes joues prendraient de la couleur.

— Sache tout de même que *tunnel* et *tonnelle* ont la même racine sémantique.

— Mes inventaires de superproductivité s'en moquent. Un conseil : pense à graisser tes rouages cérébraux, ou sois toi-même chèvre, et mange tes feuilles.

Ces paroles font des ricochets à la surface de la foule, avec laquelle *Sapiens* se confond.

Aux yeux de ce fou (ou de cette folle), j'erre dans un tunnel!

Serait-ce symboliquement vrai, quelle importance! Ne suis-je pas l'homme satisfait de lui-même? se réjouissant des prodigalités de ses inventions? dominant la nature fantasque? explorant l'univers?... Et je quitterais ce glorieux état pour me «rafaîchir sous la tonnelle du ciel»? Le ciel? il est là, au-dessus de ma tête, entre les cimes des mégatours. M'y arrêter serait perdre mes avantages. Je n'ai qu'une existence. Après moi, le déluge!... *Tonnelle!* Le mot fait rire. Suranné, vide de sens, sauf pour simples d'esprit. Il faudrait avant toute chose s'assurer qu'il y a tunnel, tâter de son obscurité dans l'hésitation des pas. Ce n'en est certes pas le cas. Le plus souvent je me déplace à quatre roues, ou je vole, porté sur des ailes d'acier. Je vais, je viens d'un lieu à un autre de la planète, travaillant à rendre de plus en plus ambitieux mes fuséodromes... Bref, une existence qui décapite l'ennui, ce gros rongeur toujours prêt à sortir de son repaire...

Vêtu de la fatalité qu'il s'est lui-même cousue à petits points serrés, il marche en brassant et embrassant l'univers, sans se rendre compte que les façades des mégatours dégoulinent de viscosités, ni qu'il marche à reculons, trébuchant à chaque pas. La gracieuse, invisible illusion à son côté :

Qu'il fait bon être soi dans l'immanence du présent comme du futur! Rendre Mars habitable n'est plus qu'un jeu d'enfant; demain l'exploration de la planète Vénus. Je saurai enfin la cause des vapeurs violettes qui l'envahissent. Fini le temps des légendes, de celle-ci en particulier, selon laquelle ces vapeurs auraient été les émanations d'âmes rebelles, séparées ou chassées de leur destin de plénitude... Histoire de poètes; espèce inutile, quasi disparue.

Après-demain, conquête d'un monde habité (ma dernière découverte) en dehors de notre système planétaire : des créatures, par chance, inférieures à moi. Sinon quelle gabegie! Ne m'a-t-on enseigné sous le fouet que j'étais le seul vivant de l'univers, créé «à l'image de Dieu»? (Vérité qui serait vraie, même si ce Dieu n'existait pas.)

Foin de ce lointain passé! Le télescope me permet de visionner des humanoïdes, tels que je me les suis toujours représentés : hideux et sans espoir d'évolution. À exterminer! Ces fulminants voyages ne m'empêchent pas de poursuivre l'œuvre d'exploration paroxystique de la Terre. Après moi le déluge!... Ivresse d'entendre le râle des dernières forêts vierges se mêlant au sifflement de la scie électronique géante, sorte d'échafaud, à la différence qu'elle tranche à la base, d'où monte la sève. Des arbres plusieurs fois millénaires, comme *aristita*, le pin barbu, qui peut atteindre l'âge de cinq mille ans, abattus en quelques minutes! Ils ne feront plus d'ombre à mes projets d'industrialisation en tous genres. Après moi le déluge!...

— Même pour tes procréations de petits dieux?

D'où viennent ces paroles prononcées par une voix qui m'est énigmatique? À moins que... Elles résonnent dans ma tête d'une oreille à l'autre, comme entre deux parois de béton...

— Prends garde! Il y a plus fort que toi.

— Qui, que, quoi, dont, où?

– Ici-même, sur ta planète dont tu transgresses les lois.

Encore lui!... ou elle!

– Vas-y, montre-toi! Faisons la paix!

– Tu l'as déjà faite, en partie. La preuve? Tu m'entends sans me voir. Je te disais de prendre garde. La Terre, astre errant, bouillonne en ses abysses et gronde et menace. Combien de fois n'as-tu pas été secoué, démembré, rendu hagard par un de ses gigantesques chocs en retour! Pense! Elle a travaillé quatre milliards d'années à se construire un équilibre que tu détruis à plaisir, pour un profit abusif. Ton slogan : *après moi le déluge*, lancé gaillardement à chacun de tes exploits, ce déluge, ou autre séisme définitif, est peut-être à ta porte...

Ce fou, cette folle, ou les deux à la fois, va me rendre fou, moi aussi. De quel droit perturber mon existence? Je ne désire rien de plus que mes désirs... Une tonnelle? pour m'encroûter de spéculations métaphysiques, où penser n'aurait plus rien de concret à m'offrir?

– Plutôt te panser!...

En effet, je saigne.

– Tu te seras éraflé aux aspérités du béton.

– Quel béton?

– Celui de ton tunnel, pardi!

– Si tu appelles tunnel la masse des mégatours, soit! Elle ne m'empêche pas d'entrevoir des mouchoirs de ciel... Non! je me serai coupé, en ouvrant une boîte de conserve, avec un couteau. Ma génitrice m'a toujours mis en garde contre ce geste imprudent... Oh ma tête!... ça bouillonne à l'intérieur...

Il s'assied au bord du trottoir, en plein trafic, lui *Sapiens*, arrivé au point apex de l'évolution! Il voudrait quand même bien savoir la différence qu'il y a entre un tunnel qu'on ne voit pas et l'inexistence de ce tunnel. La réponse doit faire partie du sortilège. Car c'en est un, bien qu'il ne croie pas en ce genre de choses... Tunnel, ou pas, *Sapiens* que je suis ne règne pas moins sur le monde. D'accord? Oh ce mot que je déteste! ce mot épidémique!

— Il ne t'a jamais gêné; les autres multiples tics du langage, ramassés à la pelle dans les trajectoires télévisionnelles, non plus!

— Assez!

Il se lève, dégourdit ses jambes ankylosées puis se rassied. Que m'arrive-t-il?... Où est mon ombre? seule présence à pouvoir me rassurer. Ce que je vois dans ce prétendu tunnel? Pléthore ici, famine à côté... Une vache meugle contre moi, mutilée de ses cornes. Derrière elle, marée gigantesque, elles accourent par milliers, tête basse, les yeux brûlés de larmes...

— Celles que tu menais à l'abattoir comme de vieilles voitures à la casse. Vaches devenues folles, parce qu'enchaînées à leur gavoir de farine animale. Elles, les douces herbivores aux quatre estomacs si délicats!

— J'étais l'État, ça rapportait gros... Qui que tu sois, va-t-en! Ma raison s'égare. Je suis en train de m'accuser... Laisse-moi! Un mordant désir me prend de remonter à l'*homo neandertalis,* conquérant de l'esprit! Qu'ai-je fait de cette conquête?

— Aveu de ta défaite...

— N'est-ce pas idiot, de la part de l'homme emprisonné de gloire?

— Emprisonné, c'est cela. Le mot t'a échappé. Tu as existé sans vivre. Ta Vie étouffée, répudiée. Ta qualité d'humain, trahie.

— Je ne sais plus.

Il se lève, marche à tâtons. Oh comme il fait noir! Où sont mes dossiers? Qui me les a pris? Ma parole, je suis devenu fou, moi aussi. Oh là, l'énergumène! M'aurais-tu transmis ton virus? Pourquoi restes-tu caché? Trouble-fête, troublion! J'étais heureux, satisfait de moi-même, de mes actions. Je suis anéanti.

Un non-sens. Ne suis-je pas témoin, au delà d'un tunnel imaginaire, de tout ce que j'ai créé? J'ai même réinventé la vie. Ma progéniture n'aura plus peur de mourir...

    — Ta progéniture! Entends-la pousser des cris d'enfer, jouer à maltraiter les vieillards, leur fermant la porte au nez en passant devant eux. À leurs yeux, inutiles, comme s'ils ne mangeaient pas à pléthore. Des gosses qui jouent à tuer pour un oui, ou pour un non. Garçons et filles sans point de repère, issus de parents défectueux, piétinant leur devoir. Enfants dépossédés de leur enfance par des aspects impudiques, licencieux que la société projette de toutes parts sur eux...

    — Tout se bouscule en moi. Je ne suis plus en état de réfléchir. Réponds seulement à cette question : qu'est-ce qu'un tunnel sans réalité visible?

    — Ce que tu commences à voir, ami...

Oh!... Ce harassement tout à coup, en plein ventre, comme si je sortais de mon corps. Je suis en train de mourir.

    — Mourir à ta personne, à ton identité de masque...

    — Non! Tu avais raison. Je marche dans un tunnel...

    — Avec des bouffées d'air feuillu qui t'arrivent de la tonnelle... Rappelle-toi! Le tunnel, ou l'on y reste avec sa mort, ou l'on en sort en plénitude de Vie, régénéré.

Christian Milat

Sauve-qui-peut

François-Xavier Noir   *Sauve-qui-peut*   2005

[...] le non - passage, un événement de venue ou d'avenir qui n'a plus la forme du mouvement consistant à passer [...] : en somme une venue sans pas.
Jacques Derrida

COMME les ailes rouillées d'un vieux pélican tentent avec peine de se défroisser pour un ultime envol, mes yeux engourdis essaient péniblement de s'entrouvrir, faisant crisser mes paupières qui, douloureusement, éraflent le vernis de leurs globes écorchés. C'est, me semble-t-il, la suie de la nuit, partout voletant jusqu'à en étouffer l'atmosphère, tapissant ma bouche d'un goût de cendre, poissant ma langue, remplissant de son miel de mort chacune des alvéoles de mes poumons à demi asphyxiés, qui s'est infiltrée incrustée sous mes paupières fatiguées, à moins que ce ne soit ce poussier charbonneux, tombant goutte à goutte du plafond, suintant des murs tout effrités et s'exhalant indéfiniment du sol en une nuée fuligineuse.

Sans que ma volonté intervienne, mes yeux sont maintenant ouverts, grands ouverts, si bien ouverts – les arcades sourcilières proéminentes, tendues, figées dans le plâtre desséché de mon visage – que je nourris la ferme conviction que rien ne réussira plus jamais à les fermer. Mais, au travers de ces hublots béants, nulle image ne m'apparaît. Je me cogne à l'écran noir de la voûte sauf si, en fait, ce qui me reste de regard se perd d'emblée dans le brouillard terreux des ténèbres.

Machinalement, mon corps s'ébranle, jambes, bassin, dos, bras soudain mus d'une faible et tout à la fois puissante énergie intérieure, et c'est avec étonnement que je m'aperçois, à la suite d'une sensation diffuse, mais incontestable, que je suis maintenant assis au bord de ma paillasse, les jambes me semblant à demi repliées, les pieds fixés à la terre. Mon cou pivote légèrement à gauche : la lourde porte de bois vérolée de gros rivets bombés m'apparaît comme à l'accoutumée à une distance qu'il est impossible d'évaluer car, si l'huis se détache anthracite sur un large fond de jaspe noir, il reste néanmoins intimement mêlé aux strates vaporeuses de l'obscurité. Pour remonter jusqu'à la source du mince faisceau lumineux qui parcourt timidement l'épaisseur des ténèbres, mes yeux se tournent lentement vers la droite, gravissent petit à petit la pente essoufflée du rayon de sombre clarté et parviennent, une fois encore, au foyer émetteur : une espèce d'étroite lucarne que je devine zébrée d'épais barreaux d'acier ou, peut-être, de fonte.

Maintenant collés à la vitre glacée, mes yeux me font affreusement mal, tant est grande la distance qui les sépare de leurs orbites, restées, elles, soudées au reste de mon squelette, resté, lui, assis sur ce qui me fait office de matelas. Alors, voulant réduire l'éclat de sa souffrance, ou poussé par le désir irrépressible de s'approcher lui aussi du soupirail, ou, plus simplement, réagissant de façon automatique au magnétisme de la tension élastique dont il est l'enjeu, mon corps se dresse de lui-même, se dépliant en un mouvement saccadé mais irréversible, membre après membre, enfin planté, là, debout, au centre même du carré de ma cellule, tournant mécaniquement ses épaules de quatre-vingt-dix degrés et relevant avec précision sa tête afin de s'aligner complètement sur ses yeux.

En forme de demi-lune, la lucarne m'apparaît au loin faiblement réfléchie dans le flou de la nuit, et je sens que ce reflet m'entraîne vers lui comme un miroir attire irrésistiblement son image. Aspiré par la ventouse de la pénombre, j'abandonne d'un coup ma pesante carcasse, je rejoins vite mes yeux, tout en haut du plafond et, m'apercevant immédiatement, qu'en réalité, le soupirail est dépourvu de vitre, je laisse là mes yeux à leur illusion et me glisse, anguille, au travers des barreaux.

Où suis-je? Où vais-je? Est-ce que je connais déjà ce paradis – ou cet enfer – perdu? Est-ce que je me dirige bien plutôt vers une terre jusqu'ici inconnue? Je ne sais pas... Je ne sais plus. Tantôt j'ai l'impression, teintée à la fois de nostalgie et de désappointement, que je me retourne seulement vers mon passé. Tantôt il me semble au contraire que je pars à la rencontre d'un avenir inexploré et, à ces moments-là, l'enthousiasme le plus échevelé se mêle en moi à l'angoisse la plus folle. Cela fait tellement de jours, d'années, de siècles peut-être, que je suis confiné à l'intérieur de cette cave! L'éternel présent dont je suis le prisonnier m'a fait oublier jusqu'à l'existence du temps. Alors, ma seule ressource se limite à marcher dans l'espace qui se déroule devant le soupirail. Dans le prolongement de la lucarne, je marche, je marche dans ce qui me semble être une longue galerie, elle aussi en forme de demi-cercle, une sorte de tunnel aux parois incertaines semblable à un gigantesque mille-pattes souple et éthéré qui ondule je marche à grands pas les enjambées se multipliant poursuivant le long du ruban infini du clair-obscur la trace de la lumière originelle le rythme s'accélérant telle une chenille une chenille de fête foraine c'est cela je cours à l'intérieur du manège sinueux qui bringuebale à gauche à droite oscillant tout entier dans la pénombre cherchant l'étincelle ou l'embrasement sous la toile tendue par la vitesse toujours plus rapide le vent sifflant essoufflé de courir et de courir encore haletant dans ma course éperdue les poumons ronflant moteurs qui s'emballent au galop suffoquant les yeux exorbités sous l'effort et la quête et la chaîne qui se rompt la chenille qui déraille et l'élastique qui casse subitement sous l'inimaginable tension me ramenant violemment en arrière reculant en une fraction de seconde calé étroitement soudé à mon corps immobile debout les yeux rivés à la lucarne

Traumatisés par le choc de mon retour, mes yeux s'abaissent vers le sol. Tout autour de mes pieds, la terre battue ne présente aucunement la planéité qui caractérise le reste de la cave : aspérités, saillies et boursouflures apparaissent en surface, chacune résultant de l'amas et de la superposition désordonnés de galettes ou de boulettes de terre aux formes, aux longueurs et aux épaisseurs fort diverses qu'au fil des heures, des mois, voire des millénaires, j'ai patiemment et méticuleusement façonnées de mes mains, ajoutant à l'humidité naturelle du terreau pulvérisé entre mes doigts ce qu'il faut de ma rare salive pour agglomérer la poudre sablonneuse, de manière à modeler tous ces fragments qui, en quelque sorte, constituent le couronnement provisoire de mon œuvre.

De deux ou trois pas mon corps recule, tout en prenant soin de demeurer très exactement face au soupirail, au travers duquel filtre continûment le fin filet d'ombre qui, avec un frémissement propre à la lumière crépusculaire, lacère la masse ouatée de la nuit. Mes genoux fléchissent avec prudence jusqu'à ce qu'enfin, ils puissent s'appuyer sur le sol. Alors, mes épaules se penchent en avant, mes bras se tendent et mes mains entreprennent de déplacer délicatement, l'un après l'autre, chacun des constituants du monticule. La plupart sont dispersés sans qu'il soit nécessaire de fournir un grand effort, mais certains, à la faveur de l'humidité, se sont agglutinés jusqu'à produire une plaque difforme, mais ô combien compacte. Leur disjonction requiert le secours des ongles, qu'il faut enfoncer dans les minces interstices : en même temps que les fentes écailleuses s'élargissent sous la poussée, la peau se râpe, s'égratigne, et la douleur du sang qui sourd des chairs meurtries se mélange à la terre effritée, couvrant mes doigts gourds d'un cataplasme granuleux et abrasif.

Lorsque tous les débris sont écartés, un disque se détache très nettement sur la noirceur environnante : c'est la bouche d'une fosse que j'ai creusée de mes mains, espèce de cylindre évidé, présence lacunaire imposée à la masse, matérialisation de l'absence au cœur même de la matière la plus dense. Mon corps s'accroupit, puis s'assoit au bord de la cavité, le frottement contre la paroi friable faisant immédiatement disparaître tout au fond quelques poignées de terre. Maintenant, il n'y a plus qu'à rejoindre ces fines particules : se redresser doucement pour se mettre debout en sachant que les pieds, restés un moment suspendus dans le vide, vont perdre leur support et, partant, vont cesser d'un coup d'exister, avant de brutalement recouvrer la vie en retrouvant le sol. Mon corps complètement englouti dans la fosse, je reste, comme au garde-à-vous, figé, droit, raide, les yeux inutilement ouverts sur la nuit souterraine, bouche bée, recevant au fond de ma gorge l'odeur âcre de la tourbe. Un moment, l'idée me traverse l'esprit que, momie serrée dans son sarcophage, je suis enterré vivant, mais cette éventualité est vite rejetée car je ne suis nullement sûr que ce qu'on appelle la vie s'écoule encore vraiment sous les bandelettes invisibles qui emprisonnent ma chair. Puis la crainte m'envahit soudain que, si je demeure trop longtemps enfoui, claquemuré dans le néant sombre et humide de mon tube, je ne me désintègre, m'assimilant tout entier à cette terre qui m'environne de toutes parts, me pulvérisant, indistinctes poussières perdues parmi les innombrables poussières primitives.

Alors, mon corps essaie de se tasser. Une fois encore, mes jambes ploient. Mes reins mon ventre s'encastrent dans la colonne. Ça y est : je le sens au moment où mon front heurte une zone incurvée, mon visage est désormais descendu jusqu'au niveau du boyau qui, à angle droit, court sous le sol de ma cellule dans la direction du soupirail. Inclinée en avant, ma tête se jette dans la gueule du monstre, qu'il faut aider à avaler le reste de mon corps. Alors, mes jambes se redressent, mes pieds s'arc-boutant par étapes sur la paroi de la colonne pour propulser ma frêle carcasse à l'intérieur du boyau. Tout pue la décomposition, la pourriture, et tous les pores affamés de mon corps décharné respirent inspirent les vapeurs putrides se gavant goulûment des miasmes fétides qui s'insinuent en moi s'infiltrent partout me traversent me pénètrent m'insufflant les exhalaisons revigorantes des germinations vitales me perfusant m'instillant comme un sérum le jus millénaire distillé de tout temps par des myriades de bactéries mangeuses de racines déchiquetées graines éventrées d'où jaillissent en bouquets comme autant de pustules nauséabondes des gerbes de bourgeons enfin libérés

Le tunnel est étroit. Sa longueur? Je n'en ai aucune idée. Ce que j'espère seulement, c'est qu'il est assez long pour me conduire loin de ma cave. J'y rampe avec toute la vigueur dont je dispose, retrouvant par réminiscence les contorsions primales des reptiles ou des poissons, chaque centimètre parcouru étant la résultante d'une succession ininterrompue de haussements des épaules, de battements des bras, d'ondoiements du dos, de slaloms des jambes. De temps à autre, je marque un arrêt, quand la pointe acérée d'une racine s'enfonce dans mon ventre ou lorsqu'un de mes coudes est sauvagement tailladé par la lame bien affûtée d'un silex. Cette lente progression me donne l'impression décourageante de s'éterniser quand, tout à coup, je reconnais à la différence de densité de l'air que je suis de nouveau parvenu à une étape essentielle du voyage, là où se branche, toujours à quatre-vingt-dix degrés, mais cette fois, à la verticale, la cheminée finale.

Pour monter dans ce canal extrêmement exigu, mon corps se cambre au maximum en même temps que mes pieds impulsent une immense pression. Étroitement enchâssé, j'ai encore une tâche herculéenne à accomplir : terminer de creuser la galerie de façon à pouvoir m'échapper. Où vais-je aboutir ? Je n'en sais absolument rien. Mais ce que je sais, c'est que du nouveau, du neuf, du vierge, de l'inconnu, de l'inimaginé, m'attend. Un autre espace, complètement différent, va s'ouvrir devant moi. Peut-être vais-je renaître ou, pourquoi pas, tout simplement naître. Peut-être vais-je mourir. Que m'importe ! Ce qui est sûr, c'est que voici certainement venir le moment fatidique, celui du grand saut, celui de la véritable métamorphose, le moment que j'escompte depuis des jours, des années, des siècles, le moment auquel j'aspire depuis toujours !

Alors, courage ! Afin de percer la croûte qui me sépare encore de la liberté, les mains, les doigts ou les ongles ne me sont d'aucune utilité puisque le conduit est trop peu large pour que mes bras puissent ne pas rester irrémédiablement plaqués tout contre mon corps. Une seule solution : la tête. Je m'efforce donc, une fois de plus, de me tasser autant qu'il m'est possible et, tous muscles bandés, d'un seul mouvement, je me hisse sur la pointe des pieds, hausse les épaules, allonge le cou et cogne d'un coup mon crâne contre la terre de toutes mes forces et encore avec toute la violence accumulée depuis des lustres et encore encore mon crâne fracassant frénétique fissurant la terre en miettes saupoudrant le globe de mes yeux depuis longtemps aveugles frappant toujours plus fort désespérément − et s'il fallait une fois encore rebrousser chemin remettre à plus tard l'expédition finale non ce sera cette fois tout de suite là − mon crâne éclaté éclatant toujours plus loin plus haut toujours plus fort mille coups de bélier résonnant dans mon cerveau partout disséminés dans mon corps et encore

un coup de tête et l'air mon dieu qui me manque la bouche
remplie de terre les poumons saturés de peur le cœur suffo-
cant asphyxié sous les coups répétés en écho assénés sur mon
crâne forcé de forcer l'ultime porte

Lorsqu'enfin, le couvercle de glaise explose sous ma
poussée, ma tête jaillit d'un seul coup. Alors, il me reste juste
assez de conscience pour entrapercevoir, de chaque côté de
mes oreilles, les jambes d'un homme, debout, immobile, au
centre même du carré d'une cellule obscure. Comme lui, j'ai les
yeux rivés à la lucarne, œil anthracite planté au cœur du jaspe
noir.

François-Xavier Noir

Lux Perpetua

François-Xavier Noir   *Lux Perpetua*   novembre 2005

T U NAIS! Elle, elle accouche, madame ta mère, en sa maison.
Tu sors de ce nid chaud, rouge sang.
Tu es nu, tout petit et toi, tu pleures!

Parce que tu as perdu la Sainte Lumière, celle du ventre rouge d'alizarine chaleur, celle de l'amour purpurin des au-delà invisibles. Du tunnel brillant de clarté, il sourd, tel l'enfant serpent, du refuge utérin dans tout ce flot de sang.

Tes pleurs, désolation de perdre, pour la vie, la genèse infinie de l'amour fulgurant, sont ta protestation, ton cri d'angoisse en pénétrant dans le tunnel noir de l'univers visible de cette vie humaine. Tes larmes coulent, premières et amères sur tes joues de bébé... Autour de toi, ils sont tous là, ils rient à la vue de l'enfant nouveau-né. Ils rient comme des grappes de grelots secoués.

L'expulsion violente de la primo-parturiente te projette jusque sous le lustre de verre bleu qui éclaire la chambre de la jeune accouchée. Dans ces premiers jours d'après-guerre, tu entres dans le noir de la vie des hommes, en volant. Mais tu n'as point les ailes des graciles oiseaux!

Ton petit corps retombe sur la couche, mou comme l'agneau qui choit de la brebis des champs, dans la sueur, dans le sang. Toi, ta paille, ce sont des draps souillés en d'humains effluves.

Tu es tout nu, tes petits poings se referment aussitôt, geste réflexe, comme pour saisir avec avidité tous les biens de ce monde.

Toi aussi, tu veux accaparer. Noire découverte de la dure loi des hommes à l'entrée tunnelière de ta neuve naissance.

Lumière noire du monde visible? Clarté de la voie noire, lumières invisibles? Nul ne sait.

Sitôt fait, ils rigolent, braillent, te ravissant déjà! Mains frustrées des deux sœurs, célibataires encore, et celles plus calleuses de ton père géniteur. Fier, celui-ci entonne : *La donna è mobile   Qual piuma al vento,   Muta d'accento − e di pensiero. Sempre un amabile...*

Résonne à tes oreilles neuves, au seuil de la noirceur, l'organe mâle en liesse... Il a un fils et il a trente-huit ans. C'est son fils premier-né, alors il chante *Rigoletto* et jubile enfin.

Déjà des mains expertes t'enfoncent dans l'horreur et ses affres, en prémices d'humaine condition. Mademoiselle Boissière, sage-femme de son état, te plonge dans la grande bassine de tôle galvanisée où flottent des éponges animales, boules chaudes qui servent à frictionner vigoureusement ton petit être.

Tu hurles en gonflant tes poumons que brûle l'oxygène, déployant tes bronches et tes bronchioles gonflées de sang rubis, tu cries de terreur, tu n'y vois guère. Angoisse noire et tu sues dans l'horrible entonnoir où l'on veut t'enfoncer... C'est donc cela la vie des hommes, la vie des petits d'hommes?

Dans l'obscurité se trament déjà les complots des rivales, les mains luttent, elles te tiennent bien fort, elles ne te lâcheront pas.

Les lois du tunnel imposent leur diktat : l'humaine guerre de tous contre tous, de toutes contre toutes, à la vie, à la mort! Torpeurs de ce noir conduit où t'entraîne la vie, ici-bas...

Tu te souviens d'un jour où tu décorais quelques papiers à fleurs sur les murs tout neufs de ta chambre d'enfant au moyen de tes excréments. Primaire instant de joie barbare et pure depuis les grottes obscures d'Altamira, de la grotte Chauvet, des Eyzies-de-Tayac-Sireuil, où l'enfant de l'homme et où les fils des hommes sacralisent le ventre de leur Mère, de leur Mère la Terre, gribouillant de leurs doigts les parois de leurs gîtes... puisque l'art c'est l'homme et que l'homme est artiste. Artiste d'artifices... parfois excrémentiels... et tes petites fesses se souviennent encore de cette correction par cette main furieuse, giroflée à cinq branches, d'une mère glapissante, un peu échevelée. Ses cris résonnent encore à tes oreilles d'homme après soixante années.

Première apparition dans ce boyau obscur, silhouette tragique de cette mère fouettarde qui aurait pu t'aimer. Lumière noire?

Volé par d'autres mains crochues, célibataires, elle te laissa aller... enfanta à nouveau et proclamant un soir, à son troisième essai : «Celui-là, (celui-ci... ou "çui-ci")... c'est... enfin le mien!» Bien plus tard, on te rapportera la phrase fatidique, lorsque, approchant des confins de la noirceur, les vieillissantes sœurs de ton père-géniteur, bien bigotes au demeurant, tinrent à tout prix à t'arracher du cœur l'espoir de retourner un jour vers ce cœur maternel qui t'avait oublié.

À cinquante ans passés, tu découvris leur vérité!

Ah! La vérité. Cette sudation oppressante qui t'accompagnera tout au long de ce noir intestin où tu fus, malgré toi, engagé par naissance, lot commun des bébés, des petits enfants d'hommes, qui resteront enfants jusque dans les clartés de ces crépuscules ouverts sur l'avenir céleste.

*

La première fulgurance dans ce boyau obscur fut l'hostie, tournoyante, immaculée, aux diamantines faces des couleurs d'arc-en-ciel. Ce soleil invaincu dansait sur un calice d'où montaient les effluves d'un encens enivrant. Souvenirs olfactifs que tu noublieras plus. L'odeur du sang brûlant de tout l'amour des mondes se mêlait à l'encens, à l'ambre et au benjoin et tu emporteras, gravée dans ta mémoire, l'empreinte indélébile de ces parfums mystiques, rares et éternels. Tes yeux conserveront la danse fulgurante des couleurs prismatiques fusionnant dans le blanc, un blanc cristal de neige, la manne du désert. Et ce calice d'or, incrusté de platine d'où coulaient quelques perles d'un rubis de groseille... Le sang de ton Seigneur!

Cette vision étrange et mystérieuse aussi, se passait dans la classe du vieil instituteur à la moustache blanche, à la blouse grise, ce bon père Clavel. Tu rêvassais un peu dans la classe primaire. Ton regard évadé par la grande fenêtre reçut là ce cadeau. Tu n'avais que sept ans.

*

Depuis onze ans déjà, à tâtons, tu gravissais la voie noire oppressante de l'enfance déçue... Désamour maternel qui fut ta plaie première et ton cœur innocent... Tu portes encore au tréfonds de ton âme cette boule d'horreur, cette masse de suie, voile de veuve déchiré et noué.

À onze ans, la mort t'apparut, face à face.

Tu en gardes encore, à soixante ans sonnés, dans tes ressouvenirs, les poils qui se hérissent, les cheveux, la moustache d'un chat électrisé.

Ton copain, ton ami, Petit-Jean, qui était dans ta classe et demeurait aussi dans la même maison où vivaient tes parents...

Ce gamin était né avec un cœur malade, une malformation, alors incurable.

Le docteur avait d'emblée rendu une sentence : il lui faudrait vivre couché, constamment au repos, dans l'espoir où, dans quelques improbables années, la science médicale et l'art chirurgical pourraient faire de notables progrès. Cet espoir restait alors ô combien aléatoire.

Seconde possibilité, oracle d'Asclépios : on lui foutait la paix! On le laisserait vivre jusqu'à l'issue fatale, une vraie vie d'enfant, d'un enfant de son âge, librement, sans entraves, sans trop de précautions puisque l'espoir restait nettement incertain, pour tout dire utopique.

Un jour, au patronage, c'était un jeudi, au début de janvier, un jour brumeux et froid, tu t'en souviens comme d'hier, les gamins s'amusaient sur le sommet rocheux des collines pelées qui domine la ville... Les moniteurs les avaient conduits là, en cette hivernale journée, pour leur permettre de s'y défouler un peu dans des jeux de foulards, de foulard-prisonnier.

Tu t'étais retrouvé, par le plus grand hasard, à suivre Petit-Jean. Essoufflé, il résista cependant, encore assez longtemps, ne voulant point admettre de s'avouer vaincu. Tout à coup, brusquement, il s'assit en bordure d'un talus, bascula dans les herbes séchées par le gel.

Tu crus alors à un de ces puérils simulacres qu'aiment jouer les espiègles enfants de cet âge. Ils adorent faire le mort.

Tu t'étais approché et l'avais houspillé : «Fais pas l'andouille, t'es pris, t'as perdu, donne-moi ton foulard, tu es mon prisonnier!»

Silence. Alors tu secouas légèrement sa tête semblant abandonnée en criant : «Oh! arrête, ça ne marche pas!»

Et toi alors, pour dévoiler cette supercherie, tu ouvris ses yeux clos. Tu vis ses deux prunelles, montant déjà jusqu'au sommet des orbites éteintes, comme des lunes jumelles et tragiques dans un voile de mort qui déjà embrumait son regard en allé.

Tu te dressas, effrayé, en grande solitude et en plein désarroi et tu mesuras un peu cette réalité.

Tu étais là devant l'immense monument de béton de la vierge à l'enfant récemment achevé. Cette vierge votive des prisonniers à leur retour, libérés à la fin de la Seconde Guerre mondiale et qui est toujours là, piquée sur la colline, dressée en maternelle proue sur ce rocher tout noir qui domine. Elle est toujours là, cinquante années après la mort de ton pauvre copain.

Là, tu pris dans tes bras son corps abandonné et tu te dirigeas vers les autres gamins jouant à deux cents mètres dans la vieille carrière. Tu parcourus à peu près la moitié du trajet avant de rencontrer trois autres compagnons. Alors tu posas là ton terrible fardeau sur l'herbe froide et jaune, funeste jour sans fin, tu dis aux trois gamins d'aller chercher du secours, mais trop tard, la mort était passée.

Hors d'haleine, tu dégringolas les flancs miniers sordides qui coulent vers la ville depuis ce belvédère. Courant en pleine église aux pieds de l'impressionnante statue polychrome du bon roi saint Louis, tu trouvas l'aumônier du patro dans cette vieille sacristie aux boiseries qui sentaient l'encaustique.

La nuit d'hiver était déjà tombée quand tu te retrouvas devant l'un de ces films muets, un Tintin de série qui occupait les mômes dans la grande salle du patronage les jeudis en soirée. Dans la pénombre, tu pleurais en silence, les gamins glapissaient, hurlaient aux facéties, rires et cris... Toi, tu n'étais plus là, tu n'entendais plus rien...

Tu ne sais plus comment, dans le froid de la nuit, dans le crachin ambiant, tu regagnas ton chez-toi.

La cloche d'un tramway, insistante, obstinée... Toi, tu passas devant, comme une ombre inconsciente, il t'avait bien semblé entendre crier les passants...

Tu sonnas à la porte et ta mère hébétée t'entendit murmurer la tragique nouvelle. «Tu ne l'as pas poussé, au moins?» glissa-t-elle avec quelque méfiance.

Puis, chaussée de ses perpétuelles pantoufles éculées à carreaux noir-bleu-blanc, elle dévala les deux étages qui nous séparaient de chez Petit-Jean, dont les parents coiffeurs vivaient dans notre immeuble, au rez-de-chaussée.

Ainsi, tu restas isolé, avec ton père, ton frère et ta sœur. Tous te regardaient, d'un drôle d'air, apeuré et inquiet à la fois. Quand ta mère remonta, tous apprirent « les détails » de l'événement... La mère de Petit-Jean se roulant de douleur sur le linoléum, ses hurlements de bête.

Puis ta mère bien-aimée ajouta quelques phrases en murmurant... le docteur était là, lui aussi. Il avait accordé sans hésiter le permis d'inhumer. L'issue était attendue, depuis toujours, issue fatale, inévitable, on en ignorait jusqu'ici l'année, funeste année 1956.

Tu suivis dans l'église le blanc cercueil. Il te parut petit, tout enguirlandé de blanches fleurs odorantes. Les sanglots t'étouffaient, tu hoquetais, perturbant le silence. On te raccompagna, peu avant la fin de la cérémonie. Pour la première fois la mort entrait dans ta vie en déchirant ton âme.

Boule noire de suie, terrible après ces beaux diamants offerts pour tes sept ans... Par le mystère de la vie... de la vie visible, de la vie invisible... et tu te rappelas le calice surmonté de l'hostie, de l'hostie de lumière, et cela fut ton viatique sur ton chemin noir, humain, d'humaine et tragique condition. Petit-Jean venait d'avoir onze ans!

*

Tu n'exposeras pas là les ténébreux arcanes qui marquèrent, plus avant, ta vie parsemée bien souvent d'ombres noires angoissantes, mystérieuses, ainsi que de clartés apaisantes aux senteurs sanctifiantes.

Pourtant, tu te souviens, tu avais trente-six ans...

Ton beau-père, ton ami, se mourait d'un cancer avancé. C'était dans le Bazois, en cette province du Nivernais aux contreforts du Morvan.

Lorsqu'il décéda en sa maison rurale, sa petite maison, rêve de retraité, entouré des siens, son épouse et sa fille, et nos deux enfants, ses chers petits-enfants, ta mémoire fut marquée en son humain parcours d'un sordide trou noir suivi, peu après, d'une ouverture céleste sur la Sainte Lumière!

À l'heure de son trépas, c'est toi qui nettoyas son sang inondant les carreaux de terre morvandelle.

Madame Fromentin, voisine et doyenne de ce petit hameau, vint t'assister dans les derniers devoirs liés aux rites funéraires. Vous fîtes sa toilette et puis, avec tendresse, vous l'habillâtes en ceignant sa mâchoire d'un grand mouchoir tout blanc qui enveloppait son crâne. Ce jour-là, tu appris un peu de la mise au tombeau de Jésus ton Sauveur. Puis, le portant dans tes bras, tu le déposas dans la bière de chêne qui fleurait bon le bois des forêts du Morvan...

Avant de s'en aller, ton ami, ton beau-père t'avait dit ces paroles qui marquèrent ton âme et gravèrent ton esprit : «Tu peux prier pour moi, Jésus-Christ j'y crois! Il est venu pour soulager et porter, partager toute souffrance humaine, pour aider les plus pauvres et pour servir les humbles et les petits, mais je ne veux pas de curé à mon enterrement!»

Quand il avait sept ans, ton beau-père vivait dans la Suisse Normande, à Japigny, dans le diocèse de Beauvais.

Son père, handicapé, s'était fait écraser la main droite entre deux tampons de voitures de tramway, il était traminot... Dans ces années précédant la Première Guerre mondiale on n'envisageait même pas la sécurité sociale. L'aïeul s'était donc « bricolé » une prothèse de bois munie de quelques lanières de cuir et d'un gant en peau de chevreau. Il put ainsi gagner, vaille que vaille, un pain quotidien pour nourrir ses neuf malheureux enfants, dont ton ami et beau-père était l'un des derniers.

À sept ans à peine, Petit-Louis avait connu faim et misère. Il travaillait aux champs pour aider sa famille. Un jour, pourtant, où l'estomac lui tombait sur ses jeunes talons, mal nourri, dénutri, il déroba un pain à la boulangerie.

Cris d'orfraie des mitrons, du patron courant après le môme... Le curé, sur la place de la petite église, vit passer le voleur, lui emboîta le pas...

Tous gueulaient : «Au voleur! Au voleur! Attrapez-le!»

Terrorisé, Petit-Louis, ce minot, âgé alors d'à peine sept ans, reçut du curé quelques coups de sabot sur son petit derrière.

Pour enfin échapper au prêtre, Petit-Louis courait regardant en arrière, évitant autant qu'il le pouvait les coups de sabot supplémentaires.

Mais l'homme, c'est bien connu, ne se nourrit pas seulement de pain, mais de toutes paroles moralisatrices dispensées généreusement par ses exploiteurs.

Bing! Tout à coup, il se brisa le nez sur un réverbère de fonte bien méchante, et le gamin d'alors s'en souvenait encore à la fin de sa vie sur son lit de mourant.

Non! Il ne voulait pas de curé à son enterrement!

Le bon, l'humain Jésus, ouvrier charpentier suffirait à son âme au bout de son chemin.

On l'enterra, là-bas, au petit cimetière à l'ombre du clocher. Tu avais dit « les mots », devant le trou béant, trou noir, dans ce goulet noir de nos vies où, inéluctablement, la mort nous entraîne.

Tu chantas au bistrot, à sa veuve, à son fils, pour ton épouse chérie et sa sœur ce « communard » chant qui parle de cerises qui tombent sous la feuille en gouttes de sang, et devant ses amis, devant le voisinage, devant cette assemblée tu chantas fièrement.

Tous levèrent leur verre et saluant ton ami, en pleurant ton beau-père, en t'entendant chanter ce passage émouvant qui en est le finale : « et le souvenir... que je garde au cœur!»

La messe ainsi fut dite. Une messe des morts célébrée par des vivants.

À trois ou quatre jours de là, tu faisais tes prières vespérales, au soleil déclinant, dans quelques nivernais pâturages.

Tu disais à ton Dieu, au Doux Seigneur Jésus, la foi de ton beau-père en l'humain Jésus-Christ, même si Petit-Louis ne fut pas un agneau du troupeau de Panurge dans cette bergerie, assemblée ecclésiale des brebis qui suivent la houlette du rédempteur-berger et que les humains nomment la catholique Église du sauveur des nations!

Tu disais à Jésus les sabots, le curé, les coups de pied au cul...

Comment l'enfant blessé, humilié, affamé put-il alors comprendre la charité chrétienne, la justice et la miséricorde?

Reprenant dans ta bouche à l'adresse de Dieu la prédication musclée des pères de l'église saint Ambroise ou saint Jean Chrysostome dont le dernier disait : «À quoi sert-il que la table du Christ soit remplie de coupes d'or. Alors que lui-même meurt de faim? Commence par donner à manger à l'affamé, et avec ce qui restera, décore aussi la table.»

Ainsi, tu gueulais vers le ciel, tonnant de la sainte colère des prophètes rageurs.

Tu dis à ton Seigneur devant l'astre couchant, bien que tu t'en jugeasses indigne, de te faire quelque signe te disant, te montrant que cet homme de bonne volonté était dans la lumière de sa résurrection... parce qu'il avait souffert, parce qu'il avait eu faim, parce qu'il avait saigné, en son corps, en son cœur et jusque dans son âme lorsqu'il était enfant.

Huit mois plus tard, dans les Monts du Forez, ceux appelés du soir, côté soleil couchant, tu fumais, nuit tombée, deux ou trois cigarettes en compagnie de ton épouse. L'automne était venu.

Alors toi et ta compagne entendîtent, comme arrivant des cieux enveloppés de nuit, la houle d'un grand chant, un divin kyrié, chœur immense de voix de femmes, de voix d'hommes, de vieillards et d'enfants.

L'harmonie transcendait toutes les mélodies des registres humains, le flot en arrivait comme dessus la grève les vagues d'océan, bruissantes et déferlantes. Et puis, perle des perles et diamant des diamants, cet hymne de louange vibrait dans la fusion sans nulle confusion. Chaque voix était distincte, personnelle...

Indicible et divin cadeau, grâce ineffable!

Ton épouse entendait, nous entendîmes ensemble, pendant plus d'un quart d'heure cet Odéon céleste louant le Créateur, et chaque voix d'enfant, et chaque voix de femme, d'homme ou de vieillard brillait distinctement comme brille l'étoile au divin firmament.

Nous sûmes que Louis était dans ce grand chant.

*

Bien des années plus tard, ton tunnel noir de vie d'humaine condition débouche sur la mort coiffée de sa couronne, constellée de joyaux et autres pierreries...

Elle barrait ton chemin, sous son voile funèbre qui recouvrait ses os, son squelette effrayant, agitant comme un thyrse une sorte de faux dans sa sinistre main.

Tes poils se hérissèrent, les cheveux sur ta tête se dressèrent, myriades de serpent...

C'était par un matin, dans le couloir obscur de ce vieil ermitage taillé dans les falaises aux confins de l'estuaire du fleuve La Gironde, en des temps oubliés.

En proie à la panique, un réflexe vital te jeta en avant, tu passas au travers, violemment, un cri barbare d'humain terrorisé dans la gorge.

Te ruant pour ouvrir la porte à la lumière qui inonda la grotte du monastère, déferlante clarté. Au bout du tunnel noir où la mort disparue, transpercée, traversée d'un rai de blond soleil s'envola en fumée.

Tu ne vis plus alors que la paroi de pierre, ce roc taillé au pic pour y faire autrefois un genre de réfectoire destiné aux communautés des moines Antonins et puis des Récollets.

Tu traversas la mort dans ce chenal d'horreur à quelques pas, à peine, de l'antique chapelle monolithe, polychrome, dédiée alors à saint Martial le Palestinien et au grand saint Antoine ermite, Antoine l'Égyptien, l'Antoine du désert.

Tu confias cette expérience insolite à la vieille gardienne de l'humble sanctuaire, de ce haut lieu sacré.

Depuis plus de vingt ans, elle veillait, bénévole, sur l'historique lieu classé par les beaux-arts. Ce bien privé, appartenant à l'évêché d'Aunis et de Saintonge, était son havre, son lieu prédestiné, objet de sa vocation mystique, ésotérique aussi, car elle y soignait là l'humanité souffrante en soulageant des maux affligeants les corps et les esprits de ses contemporains.

Après ta confidence, en guise de réponse elle te regarda, un sourire goguenard derrière ses grosses lunettes de chouette aux verres fumés et qui voilaient son regard de gitane-voyante. Elle te répondit! «Je sais, parfois "elle" ne veut pas consentir à me laisser passer, mais je passe quand même, pétard! Il ne manquerait plus que ça!»

*

Récemment opéré et sorti du billard à l'issue heureuse et chanceuse d'un cancer, un petit, un mignon, un naissant, tu compris la prophétique allusion de cette noire vision cernant ton avenir dans le cheminement de ton humain souterrain, dans ce colon obscur... Tu traversas la mort, pour de vrai. Tu en jaillis guéri, en transfiguration et en résurrection, dans l'immense clarté que t'offrit cette porte que tu ouvris, béante, sur la Sainte Lumière, tout comme à l'ermitage, des années auparavant.

Pour la première fois, à soixante ans bientôt, tu voyais de tes yeux le bout de ton tunnel et déjà la clarté t'annonçait la lumière, la lumière éternelle.

Dans un rêve, dans un songe en ta convalescence, tu te vis revêtu d'un grand habit tout blanc, ta barbe avait blanchi et déjà ton sourire ensoleillait un peu ton visage de mort... Tu t'en allais, heureux, dans ce tunnel tout blanc de cristal scintillant qui t'emportait, ravi, loin des noires arcanes des horreurs humaines dont tu étais issu quatre-vingts ans plus tôt.

Tu montais vers l'azur du manteau de la Vierge, après avoir salué d'un geste de tes mains la sphinge du mystère indigo et ocré. Tu montais dans des houles océanes où le «Petit-Louis» et où le «Petit-Jean» louaient le créateur de l'univers, vivant, parmi la multitude, au cœur des myriades innombrables dans les sept sphères irisées des sept ciels.

Et déjà, tu voyais cette foule immense, tu sentais les parfums mêlés d'encens et d'ambres noirs aux mystiques effluves. Tu riais, tu rigolais comme mille grelots. Les autres, autour de toi, noyaient dans des sanglots leurs peines véritables, leurs chagrins affectés.

Tes mains étaient ouvertes, elles n'emporteraient rien. Ton corps était nu, sous ton aube de diacre dans ce cercueil de bois posé sur le pavé de la collégiale où tu priais souvent en ta condition d'homme aux heures grises et tragiques du noir passage humain que tu avais quitté.

Tu joignais à présent ces foules innombrables, fondues dans dix mille milliards de milliards de soleils explosants, qui dansent la genèse infinie de l'amour fulgurant.

Ton goulet d'humain, ton calice intérieur, s'en retournait enfin vers la vie éternelle des cosmos parallèles, dans l'amour surprenant du créateur des mondes, calices de l'univers!

*

Au delà du visible scintille l'invisible. Ici-bas lumière noire apparente, la lumière éternelle Lux Perpetua, brille, aveuglante...

Nous ne la voyons pas... Pas encore, dans notre noire condition montant, dès ici-bas, vers le diamant trois fois saint où chantent les vivants louant le fils de l'homme.

Le fils de l'homme debout et vainqueur de la mort, car la plus grande gloire de Dieu, c'est l'homme debout, c'est l'éternel vivant.

Louis Noreau

Blues d'Eurydice

François-Xavier Noir   *Blues d'Eurydice*   2006

Q U'EST-CE QUE je fais ici? Je ne vois rien, ne sens rien. J'avance sans même ressentir l'effort de la marche. J'existe. C'est tout.

Du temps s'est écoulé. Combien d'heures? Je n'en ai aucune idée. Pas plus que je ne sais si, hors de ce tunnel, il fait jour ou nuit. Je perçois la chaleur émanant de celui que je dois suivre et les effluves qu'il laisse derrière lui. Il est certain que j'ai déjà goûté cette chaleur, que j'ai aimé cette odeur.

J'entends aussi un souffle, celui de l'effort régulier, une respiration mesurée, têtue qui, à la fois, m'effraie et me rassure.

Un premier souvenir. Serein. J'étais une ombre bien paisible à laquelle on avait imposé un séjour plutôt doux, en attendant de boire au fleuve de l'Oubli. Les marais infernaux n'étaient pas un supplice. Une punition seulement. Un crépuscule constant et tiède, sans un souffle de vent. Le contact surtout, fuyant et doux, des autres âmes et le réconfort mutuellement offert. J'étais donc morte. Dire que les hommes détestent ou craignent ces lieux qui ne sont ni lac ni terre. C'est qu'ils ne savent ni voir ni sentir. Un marais, même aux Enfers, est un bonheur pour une nymphe!

Ce bruit de pas dans l'obscurité maintenant laiteuse. Des pas décidés, mais fatigués. Le bruit des bonnes sandales, celles que fabrique Eupodès. Pourquoi est-ce que je me souviens de ce détail, alors que mon propre nom m'échappe? J'entends aussi, rythmant ces pas, un bruissement de cordes, de plusieurs cordes, tendues et relâchées, tel le bourdonnement laissé par le passage d'une troupe d'archers. Ce son est très important pour moi, mais je ne sais pas pourquoi – ou pas encore pourquoi.

J'étais morte; le suis-je toujours? Je crois avoir été une nymphe. De quels lieux aurais-je été la gardienne? Je sais que je n'étais plus vierge. Aurais-je alors choisi, comme tant d'autres, une vie brève en échange de l'amour avec un homme?

Autre souvenance : la table d'un festin, un roi puissant, sa divine épouse, leurs invités, le brouhaha des conversations, la musique de la danse, le goût sucré et âpre du vin que je bois pour la première fois. Qui donc est assis à ma gauche? Il est jeune, beau, au front intelligent. Plus gracieux qu'athlétique. Sa voix est chaude et chantante. Serait-il mon époux? Un poète qu'on célébrerait? Alors, pourquoi inviter une nymphe des bois. Un parent? Je n'en avais pas. Un ami? Je n'en avais nul besoin.

Je commence à discerner mes mains, mes jambes, mon ventre. Mon corps est encore froid et translucide mais, depuis tout à l'heure, il s'est appesanti. Il n'est plus porté par l'air, qu'il traverse plutôt. Je suis nue et j'ai froid. Je m'étais habituée à ne plus ressentir. Je ne suis plus morte, pourtant, pas encore vivante.

J'ai trouvé dans ma bouche un objet dur, rond et plat que je serre sur ma paume pour mieux le sentir. Une pièce de monnaie! On m'a rendu l'obole remise à Charron, le passeur. Cent drachmes. J'ai dû avoir de belles obsèques! Si on me renvoie à la vie, munie d'une telle somme, je pourrai m'acheter des sandales et des tuniques neuves.

Je me rappelle enfin la chênaie dont j'étais la gardienne. Mille stades carrés de chênes verts, roux, lièges... Je les soulageais de leurs branches mortes, j'organisais leur reproduction, je tentais des croisements, je les soignais de la galle et je les débarrassais du gui. Pour étendre mon domaine, je devais encourager les écureuils à enfouir les glands toujours plus loin et, parfois, il me fallait frapper de stupidité les bûcherons. J'épargnais cependant les chasseurs qui éliminaient les lièvres et les cerfs s'attaquant aux chêneaux, tout comme les femmes et les enfants venus cueillir du bois tombé, des baies ou des champignons. Je me souviens de ces jours et de ces nuits où, invisible, sur une branche à trente toises du sol, je me nourrissais du parfum des bois et buvais la lumière du soleil ou de la lune. Pendant toute une année, passant de branche en branche, je n'ai pas foulé la terre.

Les hommes semblaient me croire immortelle, mais une nymphe n'est aux chênes que ce que le jardinier est aux roses. J'avais quelque mille ans — même pas deux générations de chênes — et je devais en voir grandir quinze autres avant de m'éteindre. Mais «il» vint. Après, je ne pourrais plus apercevoir un bois, même de loin, sans détourner les yeux.

Petit à petit, j'éprouve d'autres sensations. Celle du froid s'est évanouie, je sens la sueur rouler sur mon corps de plus en plus tangible et chaud. Un crépuscule cendré a succédé à l'obscurité. Je ne vois plus à travers mes mains. Tout en marchant, je palpe mes seins, mes fesses, mes cuisses. Les quatre trous laissés par les crochets du serpent marquent mon mollet gauche.

Je respire de nouveau. Sentiment rassurant de l'air froid dans mes poumons et du bruit de mon souffle. Suis-je aussi belle qu'avant? Du moins, aussi belle que ce qu'a bien voulu me faire croire ce mortel à la voix douce, mon époux. Quel était son nom, Morphée? Protée?

Ces notes plaquées à chaque pas. Les neuf cordes de la lyre! C'est Orphée, mon mari qui me précède. Je dois donc être Eurydice, nymphe démissionnaire, qui marche plusieurs pas derrière son homme, ainsi qu'une mortelle bien élevée.

Comme il m'adorait et aimait être vu avec moi! Qu'il était drôle et charmant! Je le vois encore mal, puisque mes yeux sont éblouis par la clarté de la galerie que nous empruntons. Mes paupières ne peuvent pas encore se fermer. Les dieux infernaux savent bâtir : les murs de ce tunnel ont une surface lisse et sonore de pierre, polie et nacrée comme la neige; ce plancher est doux pour les pieds; tout est éclairé par ces barres lumineuses au plafond se succédant toutes les deux ou trois aunes!

Orphée me montre un dos de plus en plus fatigué, presque voûté, comme s'il avait tiré une lourde charge sur plusieurs stades. Combien de temps s'est écoulé avant qu'il revienne me chercher dans les Enfers? On a dû le presser de le faire, après tout, il était un héros. Il a su soudoyer Charron, endormir Cerbère et séduire les dieux infernaux eux-mêmes!

À sa demande, les forces infernales m'ont relâchée sans même me consulter. Je reviens à la vie et l'existence m'est déjà lourde. Je ne m'habitue pas à l'idée de subir de nouveau le chaud, le froid, la faim, la soif, la douleur.

Pour vivre avec Orphée, j'ai abandonné ma vie longue et lente, sereine et utile. Que m'a-t-il donné? Les frissons de la séduction première, lorsqu'il fit chanter et danser ma chênaie entière à la musique de sa lyre ou quand il annonça son intention d'ériger un temple dans ma clairière.

Il n'en fallait pas plus pour que je lui apparaisse. Une fois passés les premiers mois, vint la solitude : Orphée toujours parti avec son groupe à courir les tavernes et les amphithéâtres de la Grèce. Puis vint son voyage avec Jason, pendant tout un été. Il m'a trop souvent présenté ses excuses pour que je puisse croire en ses repentirs.

Au milieu des hommes, la solitude, auparavant si naturelle, m'était devenue insupportable. Délaissée à la maison pendant des lunes, sans ressources et sans passion, même quand il était de retour, Orphée me semblait encore en voyage.

Deux ans de mariage m'avaient donné plus de douleurs que de joies. Je connaissais toutes ses chansons, toutes ses musiques. Sa mère, quelle pimbêche! Et que dire des Thraces sur lesquels régnait son père! Tous des disciples de Dionysos : ivrognes, goinfres, noceurs, licencieux, orgiaques! Les femmes comme les hommes.

Comment Orphée n'a-t-il pas deviné qu'en partant me promener seule, jambes nues, dans le pré aux vipères, je cherchais la mort. Hadès l'avait bien compris, lui qui m'avait condamnée au marais des suicidés.

Pauvre petite vipère, simple instrument de mon dessein, rattrapée et tuée, tandis que ma mort avait de si nombreux motifs : l'ennui, la solitude et, surtout, la dévastation de ma chênaie. En la quittant, je la croyais assez forte et grande pour se défendre d'elle-même contre les hommes. Le coup de grâce d'Orphée : pour agrandir sa maison, il a fait abattre mon plus grand chêne, le grand-père de ma forêt que j'avais planté au début de ma vie.

Et si je ne revenais pas? En échouant, Orphée ne recueillerait-il pas toute la gloire à laquelle il aspirait? Les vrais héros sont-ils ceux qui réussissent constamment? Ou plutôt ceux qui tentent d'aller au delà d'eux-mêmes? Lui-même ne chantait-il pas plus souvent l'effort que la victoire? Une fois l'histoire connue, il pourra profiter des élégies, odes ou épopées qui seront écrites sur son aventure. Je sais qu'on parlera encore longtemps de lui. Moi, je voudrais seulement que l'on m'oublie, puisqu'Orphée semblait déjà l'avoir fait. S'il avait réellement tenu à moi, il serait resté.

La vie doit m'avoir été complètement rendue. Je retrouve enfin la voix et je puis fermer les yeux, la mémoire des Enfers semble s'échapper aussi vite qu'un rocher dévale une colline. Je n'ai pas la force de reculer, même pas celle de m'arrêter : il me faut mettre mes pas dans ceux d'Orphée. Je hais cette impuissance. Je sais qu'il ne doit pas me regarder avant d'être sorti du royaume des Morts. Et s'il le faisait?

Je suis déjà une suicidée. Une fois écoulée la peine qu'on m'avait imposée et après avoir bu au fleuve de l'Oubli, je pourrais, de nouveau, être une nymphe. Une naïade peut-être? Un noyé m'avait parlé de magnifiques forêts sous-marines. C'est décidé, Orphée ne sera pas descendu en vain aux Enfers s'il n'en revenait qu'avec la gloire. Je remettrai l'obole sur ma langue, mais avant je m'écrierai :

– Orphée! Orphée mon amour, regarde-moi!

Jean-François Somain

Renaître

François-Xavier Noir   *Renaître*   2007

I L S'ÉTAIT LEVÉ de bonne humeur, comme d'habitude. Une bonne humeur tranquille, paisible, la manifestation d'un état de santé entièrement satisfaisant. Son corps ne lui avait jamais fait défaut. Était-ce de la chance? Va savoir. Plusieurs de ses amis attrapaient des maladies, un cancer de la vessie, un ulcère du duodénum, un peu de Parkinson, une tumeur au cerveau, un problème de prostate, des polypes dans le rectum. Lui, rien. Il ne s'était jamais brisé un membre, il n'avait jamais passé une nuit à l'hôpital. Son médecin, qu'il voyait tous les deux ou trois ans, lui recommandait de ne plus fumer, de modérer sa consommation de vin, d'éviter de manger gras. Il l'écoutait poliment et mettait les conseils de côté, sans plus y penser.

Après un petit déjeuner solide, il s'installa dehors avec son café. Il aimait lire le matin. Cette fois, c'était les *Dialogues* de Platon. Une lecture plutôt rare chez lui, qui préférait les romans, surtout les romans d'action. Il avait acheté le livre dans sa jeunesse, par curiosité, sans jamais se décider à l'ouvrir.

Il savourait l'ouvrage, charpenté comme d'excellentes scènes de théâtre. Quel beau personnage, Socrate! Tellement vivant, l'esprit agile, parfois soupe au lait, l'humeur à fleur de peau! Quand il rentrait à Athènes après un voyage, il demandait d'abord à ses amis s'il y avait du nouveau en philosophie et si, durant son absence, des jeunes gens s'étaient fait remarquer par leur sagesse ou leur beauté. L'une ou l'autre. Il précisait même qu'il trouvait les garçons spécialement attirants quand ils commençaient à avoir du poil au menton. Un homme intéressant, bien terre à terre. Et quelle façon magistrale de prendre un sujet et de l'examiner sous toutes ses facettes avec des mots simples, quotidiens, le comprimant comme une orange pour en extraire tout le jus. Socrate passait des heures à tenter de définir la sagesse, la vertu, le courage, l'attachement amoureux, et concluait presque toujours qu'on ne pouvait pas les définir. Le plaisir de lecture, très stimulant, venait de sa façon de faire le tour de la question.

C'était une belle journée pour découvrir Socrate. Un ciel nuageux mais surtout bleu, un début de vent, une possibilité d'orage en soirée. De temps en temps il levait les yeux, contemplait le lac, écoutait les oiseaux, s'attardait sur le mouvement d'une branche. Puis il replongeait dans son livre.

Une idée se faufila en lui entre deux pages et deux coups d'œil sur l'horizon. Il se sentait en équilibre à la limite de deux mondes, et dans les deux il puisait sa nourriture, essentielle et savoureuse. Autour de lui, un univers de sapins, de fleurs sauvages, de soleil et d'écureuils qui continuerait quand il ne serait plus là. Entre ses mains et dans le cortex, les idées et la vie d'un philosophe grec racontées par un de ses élèves dans un ouvrage qui avait traversé vingt-quatre siècles. La vie intérieure et la vie extérieure, aussi réjouissantes l'une que l'autre. Il se trouvait à la croisée de ces deux mondes, à l'aise et heureux dans chacun.

C'était vraiment un beau jour pour s'en aller. Il voulait vivre ces heures le plus tranquillement possible, sans faire d'histoires.

Vers midi, il plaça un signet à l'endroit où il s'était arrêté et remit le livre dans son rayon. Il s'était procuré la veille un filet de doré frais. Plutôt que de le griller ou de le mettre au four, il voulut essayer une recette d'un ami. Il plongea le poisson dans de l'eau bouillante et prépara une sauce crémeuse dans laquelle il fit fondre des morceaux de fromage bleu. Il coupa un concombre en rondelles qu'il trempa dans du yogourt agrémenté d'épices. Le poisson était resté juteux. Un excellent repas, vraiment, souligné par un bon vin blanc.

Il mangeait dehors. Il avait tenu à mettre une nappe sur la table. Un repas solitaire et satisfaisant. Quand il était plus jeune, il appréciait de la compagnie. Avec le temps, les amis et les femmes s'envolent, il en reste de moins en moins. L'automne de la vie est une saison de feuilles mortes. Il n'y voyait rien à redire. L'arbre ne cherche pas à retenir ses feuilles.

Il se servit un espresso et alluma une cigarette. Il avait acheté ce chalet d'été trente ans auparavant, et pour pas cher. Ce qui l'avait séduit, c'était le lac. Six cent mètres de large, trois kilomètres de long, avec une courbe de boomerang. Quand on l'apercevait de la route, en haut de la falaise, on pouvait croire qu'il s'agissait d'un bras de fleuve. Plus précisément, une sorte de tunnel liquide entre les collines. De la rive, la perspective s'accentuait, c'était vraiment un long tunnel qui s'enfonçait dans la forêt et disparaissait dans la nature. Il n'avait jamais appris à nager, il ne pouvait faire que quelques brasses, ne s'éloignant jamais trop de la rive. Il aimait regarder l'eau et s'imprégner de son apaisante horizontalité entre les rives boisées.

Ce qui l'avait également séduit, c'était l'éloignement. Depuis Gatineau, où il vivait, il fallait une heure pour contourner Maniwaki et une autre heure à travers la forêt, sur des chemins de terre battue, pour atteindre l'endroit. Autrement dit, peu de visiteurs, sauf les quelques amis et parents qui venaient y passer un week-end. Le téléphone ne s'y rendait pas, ni même les cellulaires. L'électricité dépendait d'une génératrice. C'était un chalet très confortable et bien autonome. On trouvait maintenant cinq autres bungalows sur les bords du lac, à bonne distance les uns des autres. Ces voisins ne l'incommodaient pas, il les voyait rarement.

Au début, il invitait parfois ses copines du moment. L'eau était généralement froide, même l'été, mais on pouvait s'y baigner nu. On était loin du monde, des amoureux jeunes et fringants échoués sur une île déserte. Il sourit en se rappelant ces belles journées de soleil et de caresses. Il conservait de bons sentiments envers ces femmes qui avaient depuis longtemps disparu de sa vie en lui laissant tant de souvenirs chaleureux et sensuels.

Ensuite, il s'était marié. Il avait eu la chance de rencontrer la bonne personne, et au bon moment. Un autre bonheur, différent, plus profond, étalé sur plus d'années. En ville, de neuf à cinq, il était graphiste. Plus tard, il s'était spécialisé dans la conception de sites web. Il avait toujours aimé son métier et acceptait encore des contrats dans ce domaine. L'essentiel, c'était le temps qu'il passait avec sa femme. Là encore, le chalet, le lac avaient été leur paradis au cœur du monde.

Deux enfants étaient venus, ajoutant à leur vie une dimension inattendue. Ils ne pensaient pas que la présence des enfants transformerait autant leurs habitudes quotidiennes. Il y avait trouvé de nouvelles sources de joie. Pendant longtemps, ils avaient passé un mois au bord du lac, chaque été, en famille. Adolescents, les enfants rechignaient à s'éloigner de la ville, de leurs amis. Sa femme aussi se sentait moins portée à se rendre aussi loin pour une fin de semaine. C'est alors qu'il commença à y venir seul. Et il aimait ces journées, ces semaines de tranquillité.

Quelque chose, dans ce paysage en particulier, coïncidait parfaitement avec des élans, des besoins intérieurs. L'idée du tunnel? L'eau? Il réfléchit. C'est vraiment une molécule extraordinaire. Deux atomes d'hydrogène, un atome d'oxygène. Des substances bien simples, qui ne manquent pas dans l'univers. L'étonnant, c'est qu'elles se soient parfois combinées. Et que leurs atomes puissent mettre quelques électrons en commun pour se tenir ensemble et former un lac, une mer, un glacier, des nuages, une comète.

Il écrasa le mégot dans le cendrier et nettoya assiettes et casseroles. Pendant longtemps, il était venu au chalet avec son chien, un golden retriever qui adorait sauter dans le lac. Sa compagnie lui plaisait davantage que celle de bien des gens. Le chien était mort deux ans plus tôt. Il n'en avait pas adopté d'autre, pressentant qu'il ne changerait pas d'idée, qu'il ne serait bientôt plus là pour en prendre soin.

Au printemps, il avait abattu des arbres morts et les avait débités en bûches. Le chalet n'était pas hivérisé. Pour pouvoir en jouir depuis les derniers jours d'avril jusqu'au début décembre, on y faisait du feu dans un poêle de fonte qui chauffait toute la maison. Il se mit à fendre les bûches. Le bois sec craquait facilement sous la hache. Il avait toujours éprouvé grand plaisir à se servir de ses muscles.

Après une heure de travail, il enleva sa chemise. La sueur. Ça aussi, c'était de l'eau. Il retrouva le fil de ses pensées. Les sondes spatiales et les télescopes nous montrent parfois des images de mondes glacés. Bien souvent, ce sont des reconstitutions d'artistes. L'important, c'est que l'eau ne suffit pas. Elle a un autre rôle : la vie.

Les protéines sont une des molécules les plus remarquables, un assemblage d'atomes qui a la particularité de se copier, de se reproduire. À condition de pouvoir se charpenter, se structurer, s'étaler dans des molécules d'eau. C'est-à-dire, de former des cellules. Comme tout être vivant, il était lui-même constitué d'eau, à quatre-vingts pour cent ou davantage. Le reste, c'était du carbone, du calcium, une poignée de minéraux. Quand il regardait le lac, il se disait qu'ils partageaient, en grande partie, la même nature.

Ses pensées le faisaient sourire. Quelque chose d'incongru, d'amusant. Tu es cendre et tu redeviendras cendre. Non : tu es eau et tu redeviendras eau.

Il corda consciencieusement le bois fendu et se remit au travail. Pourquoi faisait-il cela ? Il ne s'en servirait pas, il n'en avait pas besoin. Ce qui comptait, c'était de consacrer la journée à des activités familières. De vivre comme il avait toujours aimé vivre.

Déjà quatre heures. Il remua ses muscles endoloris. Jadis, il pouvait passer la journée à couper du bois, à construire un quai, une véranda, sans se sentir exténué. À soixante ans, l'âge avait commencé à faire ses marques. Au printemps, il avait coupé les troncs en billots de quatre pieds, autrement il les trouvait trop lourds à déplacer. Même l'amour était devenu moins facile. L'énergie diminue, l'appétit s'estompe. On atteint quelque part le sommet et on se met à décliner sur une pente de plus en plus forte, doucement happé par un entonnoir.

Il avait épousé une femme plus jeune que lui. Elle était tout à coup tombée amoureuse d'un autre homme quand leurs enfants venaient juste de s'inscrire à l'université. Il ne s'accrocha pas. Il trouvait magnifique de voir le bonheur de sa femme dans ce grand amour imprévu qui lui arrivait au début de la quarantaine. Chacun se débrouille à sa façon, chacun fait ce qu'il veut des cartes que le destin lui passe. Dans le règlement de divorce, il avait surtout tenu à conserver le chalet.

Au début, il avait pensé qu'il aimerait bien s'amouracher d'une gamine de vingt ans, fraîche et juteuse, pleine de vie et de passion. Ce n'était pas arrivé. Apprivoiser quelqu'un, quelle corvée! Celles qu'il rencontrait l'exaspéraient souvent. Surtout, elles ne s'intéressaient guère à lui. Il comprenait qu'elles aient mieux à faire. Il retrouva d'anciennes maîtresses, disponibles le temps d'une saison, et d'autres femmes de son âge. Les occasions se faisant rares, il devenait un amant moins que convenable. Ça ne le chagrinait pas. Le plaisir sexuel est généralement surfait. Tranquillement, il avait perdu l'envie de séduire, d'inviter à souper, de tisser les premiers liens d'une relation durable. Quand il avait du temps libre, il songeait surtout à se rendre au lac. En prenant sa retraite, voici trois ans, il envisageait de passer le reste de son existence dans une solitude agréable. Il lui restait trois ou quatre bons amis. Et puis, s'il ne voulait plus faire l'effort de rencontrer des femmes, il trouverait bien un service d'escorte fiable.

Des petites vagues apparaissaient déjà sur la surface du lac et frémissaient sous le soleil. Il se mit en maillot et se servit un pastis. Une portion de pastis, cinq portions d'eau. Mais il y a déjà de l'eau dans l'alcool. Une composition semblable à celle du corps. Quand on boit, on se renouvelle. Il alluma un cigare, à l'abri du vent, et se tira une chaise longue.

La configuration du lac le rassérénait toujours. Quel plissement tellurique lui avait donné cette forme? Du côté nord, des falaises presque verticales. Du côté sud, des collines plus arrondies. Un tunnel d'eau, vraiment, se nourrissant de sources cachées, de la pluie, de la neige, et déversant leur surplus dans des ruisseaux trois kilomètres plus loin. Les poissons ont-ils l'impression de vivre dans un tunnel?

Il pensa à des amis, à des parents, à des gens qu'il avait connus. Louise avait perdu ses deux enfants adolescents dans

un accident de voiture. Henriette souffrait d'un cancer qui se
généralisait, elle allait d'une chimiothérapie à l'autre, se faisant
régulièrement charcuter. Robert avait perdu son emploi à
cinquante ans et vivotait dans des jobines, endetté, frustré, malheureux. Marie-Claire, comédienne amère et sans talent, accu-
mulait les petits rôles en rêvant de faire une percée. André
venait d'apprendre qu'il présentait des symptômes d'Alzheimer.

L'existence considérée comme entonnoir, comme tunnel,
songea-t-il encore. On y plonge à sa naissance, on s'alimente
de ce qui nous arrive, et on perd tout au bout du chemin, à
l'instar de ce lac. Ce n'était pas une pensée sinistre. Un tunnel
est une voie pratique de communication entre deux endroits,
c'est le refuge que se creuse un animal, c'est le chemin que
chacun trace dans le peu d'espace-temps qui lui est alloué.

Une bribe de chanson de Léo Ferré lui vint en tête : «Et
on se sent floué par les années perdues». Comparé à d'autres
gens, il avait finalement eu une belle vie. Des erreurs, des échecs,
rien de grave. Sa femme s'était bien tirée d'affaire, elle semblait
toujours heureuse avec son nouveau compagnon. Il trouvait
son fils plutôt moche, fade, ennuyeux, mais très débrouillard. Sa
fille, trop conventionnelle à son goût, se disputant toujours
avec son copain, aimait ses études et ferait certainement une
bonne carrière en administration. Ils pouvaient tous se passer
de lui.

C'était une bonne journée pour s'en aller. Faire enfin ce
qu'il avait toujours remis à un autre jour.

Il avait souvent pensé que cela finirait ainsi. Au moment
qu'il choisirait. Pas sous le coup d'une tragédie, pas dans une
crise de déprime, pas pour devancer une maladie mortelle et
douloureuse. Il s'arrêterait simplement lorsqu'il lui semblerait
inutile de continuer.

Le pastis était bon, le havane aussi. Et sa vie, finalement. Bien sûr, il avait raté des trains, il avait souvent perdu aux dés, il avait son bagage de rêves inachevés, de souhaits inexaucés. Une existence ne manque pas d'épisodes désagréables, ils sont même plus nombreux que les instants de bonheur. Les amis, les êtres chers, sont souvent plus décevants que les autres. On n'a aucune raison d'espérer que quelqu'un nous fasse plaisir. Il voyait ces choses avec calme. À la longue, tout perd de son importance.

Sans en faire un test, il s'était dit, six mois plus tôt, qu'il aimerait bien recevoir une bonne nouvelle. Quelque chose d'inattendu. En six mois, il n'avait reçu aucune bonne nouvelle. Ni de mauvaise non plus.

C'est pourquoi il se disait qu'il était temps de partir. Rien d'important ne lui arriverait plus. Il ne trouvait aucun intérêt à s'attarder davantage.

Laisser un mot d'adieu? Non, surtout pas. Cela compliquerait les questions de succession, ce serait de mauvaises manières. Et que pourrait-il expliquer? Que rien ne le retenait plus? Qu'il était arrivé au bout de son tunnel personnel? Ce n'était la faute de personne. Chacun a sa vie et la mène comme il veut ou comme il peut. Il avait bien des petits reproches à adresser à presque tout le monde, mais c'était des vétilles. Dans l'ensemble, on l'avait toujours traité correctement.

Il voulait maintenant s'en aller, c'est tout. Éteindre les lumières. Disparaître. La comédie est finie, je ne veux plus jouer.

C'était un jour de semaine, il n'avait remarqué aucun canot sur l'eau, aucun bruit de moteur, aucun mouvement dans les chalets.

Il y avait parfois pensé au cours des ans. Ne sachant pas vraiment nager, ce serait assez facile. On dit que la noyade, quand on ne se débat pas, est une mort très douce. On ouvre la bouche, les poumons se remplissent d'eau, on cesse de respirer, on s'abandonne au courant, on s'enfonce. Peut-être aurait-il une dernière érection, comme, dit-on, les pendus. Ce serait un ultime sourire de la vie.

Mieux valait ne plus perdre du temps, le ciel s'assombrissait. Il se dirigea vers la rive. Un maillot n'est jamais confortable, il s'en débarrassa. Quitter le monde sans rien, sans regrets, aussi nu qu'on y est entré.

Il avança. L'eau était froide mais bien supportable. Et puis, s'il s'ankylosait, cela faciliterait encore les choses.

Quand il eut de l'eau à la poitrine, il se lança en avant. Droit devant lui, vers le centre du lac, au cœur du tunnel.

Il aimait sentir ses biceps. Finalement, il ne nageait pas trop mal. La brasse n'est pas bien difficile. Ce qui lui manquait, c'était la résistance. Il avait des gestes brusques, il bifurquait sans s'en rendre compte, il ne gardait pas la tête dans une bonne position, il n'avait jamais appris à conserver un même rythme. Tôt ou tard, ses forces s'épuiseraient. Il s'agissait d'atteindre le point de non-retour.

Il regardait parfois à droite, à gauche, pour s'assurer qu'il n'approchait pas d'une rive.

Ses gestes se firent plus lents. L'effort devait apporter une accumulation de carbone dans ses muscles. Les vagues devenaient plus fortes, il avalait souvent de l'eau. De temps en temps, des frissons le secouaient. Le lac était vraiment trop froid, l'hypothermie le menaçait. Il pouvait dire adieu à l'idée d'une ultime érection.

Il entendit un coup de tonnerre et leva les yeux. Le ciel était noir. Bientôt, l'orage éclata, de grosses gouttes s'abattaient sur son visage.

Péniblement, les yeux pleins d'eau, celle des vagues et celle de la pluie, il essaya de distinguer la rive. Il se trouvait bien au milieu du lac, exténué, à bout.

Et toujours vivant.

Jamais il n'aurait cru qu'il pouvait se rendre aussi loin. Et maintenant, quoi? Plonger, descendre dans les profondeurs.

Il essaya deux fois. Il sentait une pression douloureuse dans les tympans, dans les sinus, dans la poitrine, l'instinct prenait le dessus, il remontait à la surface. Finalement, il fonça, et s'enfonça, avec détermination. Plus bas. Encore plus bas. Et il ouvrit la bouche.

Il avait toujours imaginé que ce serait facile, une chose simple entre toutes. Laisser l'eau, toute l'eau du lac entrer en lui.

Avec des gestes saccadés, désespérés, il gagna la surface, cracha et se mit à tousser. Il toussa à s'arracher les amygdales, à se briser les côtes. Il reniflait péniblement, les narines pleines d'eau.

— Merde! lança-t-il.

Ce n'était pas mauvais, songea-t-il aussitôt, comme dernier mot d'un mourant. Il avait lu un article sur les dernières paroles de gens célèbres. Celles qui sont un bilan de la vie. Lui, personne n'aurait pu entendre son cri.

Disparaître en silence, emporté par les courants de son tunnel liquide. Y a-t-il une lumière au bout du tunnel? Oui, celle du train qui avance vers nous. Oui, celle qui indique l'entrée du tunnel suivant. Celle des neurones qui éclatent dans le cerveau quand la fin approche.

Il tremblait. Il tremblait de froid et de colère. Lui qui avait pensé qu'on pouvait mourir facilement. Floué, lui aussi.

Il pleuvait de plus en plus fort. Les vagues le secouaient, furieuses, méchantes. Jamais il ne s'en sortirait, il était trop loin, trop médiocre nageur.

Lutter. Se battre.

Il se trouvait au milieu du lac. Toute direction était bonne. Ou aussi mauvaise qu'une autre.

Il choisit de rebrousser chemin, de se diriger vers le chalet. Qu'il n'atteindrait sans doute pas, tellement il se sentait à bout de forces.

Il avançait, tant bien que mal. Parfois, pour se reposer, pour calmer ses bras, il faisait la planche. Ballotté par les vagues, le visage continuellement frappé par la pluie, le nez bloqué, recrachant l'eau qu'il avalait, il avait l'impression de tourner en rond. Il se mettait alors sur le ventre et faisait quelques brasses.

Les yeux pleins d'eau, il distinguait parfois le chalet. Un peu de planche, un peu de crawl, un peu de brasse. Avancer.

Ou se noyer, finalement. D'une manière moins agréable qu'il avait imaginée.

Depuis combien de temps nageait-il? Une heure? Deux heures? Jamais il n'avait passé plus de quinze minutes dans l'eau.

Un peu de planche, un peu de crawl, un peu de brasse.

Il ne pleuvait presque plus. On voyait même un brin de soleil dans un trou parmi les nuages. Il y avait peut-être un arc-en-ciel quelque part.

Méthodiquement, consciencieusement, lentement, il levait un bras, le faisait pivoter, l'enfonçait, repoussant l'eau. Puis l'autre bras. Il nageait au ralenti.

Il avançait.

Finalement, il atteignit la rive, il touchait le fond du lac. Il se leva, se mit à marcher, gagna le sol ferme.

Titubant, près de s'évanouir de fatigue, il contempla les falaises qui bordaient le lac. Il avait décidément plus de talent pour survivre que pour mourir. Dans les cultures hydroponiques, l'eau suffit à faire germer la semence, et il en avait avalé une bonne ration. Les yeux rouges, les muscles défaits, le sexe ratatiné, les narines bouchées, il éclata de rire. Un rire qui se transforma en hoquets douloureux.

Il grelottait. Il haletait. Il risquait fort d'avoir surtout attrapé une pneumonie.

À peine entré dans le chalet, il se précipita dans la chambre à coucher et s'enroula dans une couverture de laine. Il fit bouillir un peu d'eau. Il en versa une demi-tasse et y laissa fondre cinq cuillerées de sucre. Il remplit le reste de la tasse de son meilleur scotch.

C'était délicieux. Chaud, réconfortant. Il en prenait de petites gorgées, qu'il laissait traîner dans sa gorge.

Il ne tremblait plus. Il alluma même une cigarette.

Le lendemain, décida-t-il, il se rendrait en ville. Il irait se chercher un chien. Il appellerait ses enfants. Il inviterait un ami à souper. Non, il inviterait plutôt la vendeuse, à sa librairie favorite. Ils sympathisaient, ils bavardaient parfois. Elle venait de rompre avec son ami. Elle l'enviait d'avoir un chalet au bord d'un lac. Peut-être voudrait-elle y passer quelques jours. Quelques semaines.

Il venait de renaître et avait une vie devant lui.

Jacqueline Thévoz

Le tunnel de la peur

François-Xavier Noir   *Le tunnel de la peur*   2005

ILS ÉTAIENT mari et femme depuis une bonne vingtaine d'années, mais se comportaient encore en enfants : les artistes ne sont-ils pas de grands enfants? Ils aimaient rouler en décapotable et changeaient souvent d'auto, la plus récente étant pour eux toujours la plus belle. Leurs fins de semaine se passaient à voyager, leur petite patrie étant entourée d'autres pays attirants parce que plus anciens (ils recherchaient le désuet, le suranné, l'authentique). Ayant confié leur progéniture aux voisins (« parents indignes », pensaient les esprits étroits), ils partaient le samedi, bien avant l'aurore, avec quatre pieds de cochon qu'ils avaient cuits la veille Il emportait son chevalet, sa palette, ses tubes de couleurs et des toiles vierges, et elle ne quittait pas son baladeur.

Les voici débouchant d'une ville étrangère, où ils ont laissé leur voiture. Ils ont bourré leurs sacs à dos. Il portera son chevalet, sa palette, ses couleurs et ses toiles. Elle se chargera du baladeur, des quatre pieds de cochon, de la bouteille d'eau, et des vêtements et serviettes de plage.

Ils traversent maintenant de longues étendues en pente. La nature y est foisonnante de ronces, de chiendent et d'arbres enchevêtrés, ce qui leur donne à penser que cette région fut désertée par les humains probablement après la dernière guerre.

Ils sont seuls, comme Adam et Ève dans leur vaste jardin. Or ces lieux abrupts n'ont rien de paradisiaque et ils cherchent des yeux quelque issue qui pourrait les conduire à la mer.

Soudain, ils voient, à leur gauche, s'élever une courbe dont l'arrondi, tout en pierraille, jure avec le désordre ambiant.

— Un tunnel, dit-il. Une voie ferrée désaffectée. Cela me rappelle mes premières années, quand je jouais au train, à plat ventre dans ma chambre. Mais mon tunnel était tout le contraire d'un tunnel désaffecté...

Elle libère ses oreilles de son baladeur et demande :

— Que dis-tu ?

— Un tunnel désaffecté. Je voudrais bien savoir où il mène. Nous pourrions le traverser. Qui sait si, au delà, il n'y a pas la mer ? Allons donc voir où conduit ce tunnel !

Elle avale sa salive avec bruit et murmure :

— J'espère qu'il n'est pas trop long. Tu sais que je suis claustrophobe.

— Ce n'est pas le tunnel sous la Manche. Tu n'as rien à craindre du plancher des vaches, il est bien aéré. D'ailleurs ce passage est plus vaste et clair que les tuyaux d'égout de mon enfance, ces tunnels dans lesquels nous nous amusions, gamins, à nous faufiler durant des heures, imitant les serpents.

— Et tu vas maintenant, par simple curiosité, nous enterrer dans ce conduit qui ne présage rien de bon !

— Allons ! Ne fais pas ta mauviette ! Je passe le premier...

Ils avancent, et l'obscurité s'épaissit. Elle allume sa lampe de poche. Il l'imite aussitôt et remarque que sa compagne est blanche comme du lait de chèvre.

— Tu as peur ? demande-t-il, moqueur.

Et pour la mettre en confiance, sous cette voûte grossière, cette voûte élémentaire, où les voix résonnent comme dans une salle de concert, il module une longue vocalise dont les arpèges s'envolent au loin, provoquant des échos. Elle se crispe davantage et lui en veut de ne pas prendre au sérieux son angoisse.

— Il n'est pas très rassurant, ce tunnel, avoue-t-elle, amère.

Elle approche sa lampe des murs de ce corridor vétuste faits de pierres, qui ont l'air d'avoir été simplement posées les unes à côté des autres et les unes sur les autres. Elle se demande : «Comment ça tient, tout ça?» Elle se dit qu'elle ne pourra jamais aimer ces vieux tunnels, sombres, endeuillés. Tout le contraire de ceux de son pays, toujours neufs ou rénovés, qui ont l'air de tubes de pâte dentifrice tant ils sont clairs avec leurs rangées de lampes fortes. Ici, c'est triste à mourir, ces ténèbres. Elle se rappelle son premier tunnel virtuel quand, gravement malade, elle attendait, au fond d'un lit de souffrances, une guérison qui ne venait pas. Un tunnel d'adversité qui la rendait moite et toujours plus faible. Le médecin l'avait avertie qu'elle en aurait au moins pour six mois. Les jours, les semaines défilaient aussi lentement qu'un train-tram de banlieue. Sur le calendrier accroché au mur, elle marquait d'une grande croix chaque journée écoulée, pour bien compter le temps passé. Elle n'est sortie de ce tunnel que le matin où elle a pu marcher jusqu'à la fenêtre grande ouverte et respirer de nouveau l'air ensoleillé.

Quelques années plus tard, elle connut un tunnel encore plus long : le deuil de sa mère. Le tunnel de l'absence définitive. Elle n'en vit la fin qu'à l'arrivée de l'homme de sa vie. Elle apprit ainsi qu'on en sort chaque fois, qu'il y a toujours une issue, que les tunnels ne font pas le tour de la terre.

Le silence est impressionnant. Ils marchent, leurs lampes de poche braquées sur le sol pour ne pas buter contre les pierres ou les traverses des rails.

– Il n'a pas de fin, ton tunnel, se plaint-elle. Comment se fait-il qu'il soit toujours si sombre? C'est peut-être un de ces modèles spéciaux qui bifurquent. On ne verra alors le jour qu'au dernier moment...

– Ce qui est bizarre, c'est que nous n'ayons pas encore rencontré âme qui vive. Chez nous, on aurait croisé au moins un randonneur. Ici on dirait que la vie s'est arrêtée depuis des siècles, n'est-ce pas?

Elle ne répond plus. La fatigue. Il la ressent aussi. Ils doivent pourtant avoir progressé vers la sortie car, au loin, une faible lueur semble venir au-devant d'eux. Très lentement, il est vrai. Mais cela peut être aussi une illusion d'optique, un mirage...

On n'entend que leurs pas et leur souffle, et soudain, elle perçoit un soupçon de son, très éloigné mais continu, aussi grave que celui du diapason le plus grave des oto-rhino, le grand C 2.

– Tu entends? demande-t-elle. Qu'est-ce que c'est?

– En tout cas pas un tremblement de terre. L'orage, probablement, dit-il en tendant l'oreille. C'est ennuyeux, car nous n'avons rien prévu pour une telle éventualité.

Le son est monté un peu et paraît même se rapprocher. Telle une clameur. Plus intuitive que lui, elle a une sorte de pressentiment qu'elle ne peut chasser.

– Et si c'était un train?

– Tu es folle. Je t'ai dit que ce tunnel était désaffecté. Tu as vu dans quel état il est? Ces rails rouillés, quasi ensevelis dans les hautes herbes...

– Notre pays est connu pour son perfectionnisme. Ailleurs ce n'est pas la même chose.

Ils se taisent pour écouter. Cette fois c'est bien réel : un train se dirige droit sur eux. D'ailleurs on l'aperçoit dans le lointain, sournois, avec son œil jaune, un œil mauvais qui semble fixer ces deux malheureux pris au piège.

Le bruit devient assourdissant et la fumée opaque. Sortir avant la machine! Ils courent, courent, pris dans un cauchemar, un être maléfique et sans visage voulant les attraper par derrière. Mais c'est folie : on ne se mesure pas avec une locomotive!

Défilent dans sa tête, à toute vitesse, les images de ce qui l'attend. Elle se voit soufflée telle une plume, puis happée, secouée, lâchée sur le ballast, sans connaissance, défigurée. Elle va peut-être mourir tranchée par une plaque de tôle. Ou s'écraser contre le tunnel maudit, broyée, déchiquetée, décapitée, lancée contre le haut de la galerie de pierre... Mais pour les croyants, la vie terrestre n'est-elle pas elle-même un tunnel, et la sortie de ce tunnel la fin de toute souffrance suivie de la transfiguration? Pourtant, juste avant l'éternité bienheureuse et sa lumière, ne lui faudra-t-il pas, quoi qu'il en soit, trépasser, peut-être projetée sous le train et traînée sur des kilomètres – *de l'utérus au sépulcre à cent kilomètres / heure* selon la vision de Léon Bloy – sous l'effrayant regard du cyclope posé sur elle, et se retrouver enfin loin des ténèbres, mais en morceaux, les yeux grands ouverts d'épouvante sous un ciel indifférent?

Replongée dans le désespoir elle tente, puisqu'on ne meurt pas de peur, de chasser hors d'elle cette terreur qui la tenaille et, en un dernier sursaut, de se persuader que la réalité sera tout autre, qu'il y aura miracle, qu'elle en réchappera. Maintenant, elle court toujours, mais portée par l'espoir, dans des foulées de plus en plus allongées, en priant la Providence de lui laisser la vie.

– Colle-toi au mur! lui crie-t-il, les mains en porte-voix, parvenu enfin à l'air libre, humilié, furieux qu'elle n'ait pu le suivre.

– J'peux pas! J'ai mon sac à dos! hurle-t-elle.

– De profil! En chien de fusil!

Elle prend la position du fœtus en se bouchant les oreilles pour ne pas avoir les tympans crevés par le vacarme de l'avertisseur sonore, des bielles, des essieux, des roues, des engrenages de ce nouveau «Pacific 231» que le tunnel engloutit goulûment dans un puissant souffle d'apocalypse. Et c'est alors un concert infernal de déflagrations, de crissements, de tintements, de craquements, de ferraillements, de roulements. Au son de ce tonnerre dont le vacarme résonne jusque dans son ventre, elle s'est redressée et, de profil, regarde passer cet infini train-fantôme à œillères et ses innombrables wagons de marchandises à demi bâchés, s'élançant sauvagement vers l'ouest, tous feux éteints, l'œil de cyclope excepté. Le long corps de ce convoi fou crache des étincelles dans un tintamarre hallucinant de bruits de chaînes et de portes de fer qui tapent, de coups de fouet et de rires sardoniques. C'est un match de boxe entre ces parois nues qui reçoivent les sons et la batterie ferroviaire qui agite ses redoutables ustensiles, tandis que continue à avancer ce rouleau compresseur, en riant jaune, son gros œil écarquillé ne cillant pas devant les violents courants souffleurs de tierces mineures. Elle voit défiler ces moutons de Panurge de fonte et d'acier, ces gencives fumantes, ces chicots qui s'entrechoquent, et sa tête bourdonne parce que cet infini catafalque se tortille depuis trop longtemps dans la musique discordante de ses pétards à répétition, les voix rauques et gémissantes de ses cuivres, les grincements de ses câbles et la plainte de sa sirène d'alarme qui déchire l'air, cri de cent putois, pendant que la fumée noire vomie par la locomotive trace contre le tunnel en transe le nom du diable. Enfer dantesque...

Tudieu! Ce «tunnel désaffecté» serait-il l'autre tunnel, celui qu'ont traversé ceux qui disent avoir connu l'au-delà après un accident cardiaque ou de la route. Qui va-t-elle voir en premier? Ses grands-parents? Sa mère? Ses autres disparus? Est-elle encore vivante? Car tout semble s'être maintenant apaisé après un court decrescendo...

Un étrange et pesant silence succède à l'infernal vacarme. Va-t-elle réapparaître? Il avait cru l'apercevoir dans la demi-obscurité de la sortie du tunnel, mais il se retrouve seul, hébété, avant de crier son nom que l'écho répète sous la voûte sombre.

Fou d'inquiétude, il s'élance à la recherche de sa compagne dans ce grand trou diabolique qui paraît l'avoir avalée. Il imagine le train l'entraînant dans sa course.

Le voilà de nouveau, haletant, en sens inverse dans ce qui aurait pu être un sépulcre... D'où il ressort, peu après, triomphant, radieux, portant, trésor retrouvé qu'il rend à la lumière, son épouse encore toute secouée de convulsions.

Elle n'en croit pas ses yeux, éblouie par le soleil à son zénith.

Elle est retrouvée! – Quoi? – L'Éternité!
C'est la mer mêlée au soleil...

*

Il a peint un paysage éclaboussant de lumière, un paysage de paradis terrestre, avec un personnage féminin au regard tout de reconnaissance devant une tonnelle fleurie. Et il a peint la musique du silence, pianissimo...

Sans un mot, ils ont dégusté les quatre pieds de cochon. Elle n'a plus voulu écouter son baladeur. Toujours muets, ils sont allés dormir dans leur voiture.

*

Ce fut une nuit bien agitée. Alors qu'il vient de se débattre dans les rets d'un affreux cauchemar, il se réveille en criant et la voit ouvrir la portière et s'en aller sur la route comme une somnambule.

– Où vas-tu ?

Sans répondre, elle continue sa marche vers Dieu sait quelle mystérieuse destination. Lui en veut-elle de l'avoir entraînée dans cette aventure ?

*

Il dut la ramener avec tous les ménagements que l'on réserve aux êtres brisés, qui ont fait la guerre ou subi les bombardements. Tous deux vécurent, dès lors, les mêmes hallucinations, la même psychose, les mêmes acouphènes de leurs tympans meurtris. Dans son sommeil à elle, il l'oppressait, il l'étranglait. Une nuit, elle rêva qu'il l'avait couchée dans sa poussette d'enfant dont il avait rabattu la capote sombre, ronde, pareille à une entrée de tunnel, et qu'il la faisait rouler à toute vitesse vers l'abîme, dans un vacarme d'avion supersonique.

Ses cauchemars à lui étaient presque toujours identiques : elle se détachait pour le quitter sans regret et, dans une colère qui ne lui était pas coutumière, il la battait pour la retenir, ou il la suivait, bien décidé à faire route avec elle jusqu'aux portes de l'enfer s'il le fallait.

Il croyait avoir trouvé dans la fumée, l'alcool, la drogue, des dérivatifs au syndrome post-traumatique. Elle dut être soignée pour de l'arythmie cardiaque, et les médicaments régulateurs donnaient à son cœur une telle puissance de frappe qu'elle passait ses nuits d'insomnie à écouter, pétrifiée, le gong lugubre de son muscle cardiaque qui ressemblait au rythme d'une armée marchant sur elle, à l'aveugle.

Leurs enfants leur ayant été enlevés, ils allèrent à la dérive dans un mutisme, une tension toujours plus insupportables. Il peignait de gigantesques taches, noirs nuages d'orage, et elle sombra dans la démence.

Ils ne ressortirent jamais de ce tunnel-là.

Gilbert Troutet

Cul-de-sac

François-Xavier Noir   *Cul-de-sac*   2006

DEPUIS des semaines, il avait l'impression d'avoir dans l'estomac un ver qui le rongeait par- dedans. Au dehors, sous la lumière pâle de novembre, tout lui semblait sans relief et sans couleur. La musique de Noël, qui commençait à se répandre dans les corridors et les grands magasins, lui parvenait à l'oreille comme un mélange informe.

Robert avait connu des hauts et des bas. Trop jeune pour dresser déjà un bilan de sa vie. Il n'y a pas si longtemps, il s'était demandé à quand pouvait remonter son dernier vrai bonheur. Les déboires, par contre, se bousculaient à l'écran de sa mémoire. Son corps lui faisait des misères. Des problèmes récurrents l'empêchaient de garder un travail régulier. Pourtant, il prenait soin de sa santé, aimait le plein air, le vélo, les sports d'hiver.

Il avait cru, l'an dernier, entrevoir la sortie de ce tunnel où s'effilochait sa vie. Une nouvelle firme d'informatique l'invitait à fournir des photos pour constituer une banque d'images. Le projet lui parut d'emblée si intéressant qu'il acheta même des parts de la compagnie. Lui qui aimait exercer sa créativité, il s'était vite retrouvé à faire des clichés de routine : un jour des meubles, des chaussures, le lendemain des ustensiles de cuisine... Rien de bien palpitant.

Dernièrement, il y avait eu cet épisode au *Journal d'Ottawa*, qui l'avait laissé profondément meurtri. Trois ans à faire le photographe de service, à courir les conférences de presse, les arénas, les réunions de conseils municipaux... Ses photos avaient fait souvent la une du journal. Son professionnalisme, son talent étaient appréciés et il se sentait devenir un employé de la maison.

Quand la rédaction ouvrit un poste de photographe permanent, il sauta sur l'occasion. Son expérience, sa loyauté, tout concourait à faire de lui le candidat idéal. Comment, se disait-il, pourrais-je ne pas avoir le poste? Pourtant, un matin qu'il rentrait d'un reportage, un de ses amis journalistes lui apprit qu'on avait embauché un jeune photographe, frais émoulu de la Cité collégiale.

Robert n'en dormit pas pendant une semaine. Il avait beau se dire qu'il ne pouvait s'agir d'un échec personnel, mais bien d'une goujaterie de l'employeur, la déprime lui était tombée dessus comme un sac de pierres. Depuis, rien ne parvenait à contrer son abattement et il avait maintenant du mal à se motiver à faire des photos pour le journal. De plus en plus fatigué, il se résigna à en parler à son médecin, qui lui prescrivit des médicaments contre la neurasthénie.

Il y avait au moins Martine, une amie entrée dans sa vie quelques mois auparavant. Elle aussi avait été révoltée qu'on ait pu offrir le poste de photographe à quelqu'un d'autre. Elle s'efforçait de le consoler, de l'entourer de tendresse, d'encouragements. Or, Robert s'enfonçait de jour en jour dans la dépression et, elle s'en rendait bien compte, il ne s'en remettrait pas facilement.

Il en était arrivé au point où il dut cesser toute activité professionnelle. Il voyait Martine surtout les week-ends, quelquefois un soir dans la semaine pour une sortie au cinéma. La plupart du temps, il restait à la maison, à tourner en rond, à regarder la télévision... Incapable de se concentrer, de se motiver, il n'avait plus goût à rien. En revanche, sous l'effet des somnifères, il dormait beaucoup. À Martine, qui lui demandait un jour comment il allait, il avait répondu :

— Pas fort, je t'avoue. Je ne me sens bien que quand je dors.

Quelques semaines passèrent. Son état semblait ne pas s'améliorer. Martine était devenue très prévenante, mais donnait l'impression en même temps de se lasser de cette situation. Il se sentait incapable, cependant, de réagir. Il avait perdu toute estime de lui-même et ne voyait plus comment s'en sortir.

Il s'éveilla un matin avec l'impression d'avoir mieux dormi, les idées plus claires, comme s'il venait de s'extraire d'une galerie souterraine et poussiéreuse qui lui avait longtemps semblé sans issue. Cette fois, sa décision était prise et il se sentit tout à coup soulagé.

Noël approchait. Il laisserait passer les fêtes. Il demanda à Martine si elle voulait bien l'accompagner pour une visite à sa famille, au lac Saint-Jean. Ils seraient de retour pour le Jour de l'An. Elle accepta avec plaisir, pensant surtout que c'était la meilleure façon de lui changer les idées.

À Québec, où ils firent halte chez son frère, l'hiver était déjà solidement installé. Quand ils franchirent le fleuve, il se revit, l'an passé, dans le frimas qui montait de la rivière des Outaouais, à attendre pendant des heures l'occasion de prendre la photo d'un désespéré menaçant de se jeter en bas du pont du Portage. Après d'interminables pourparlers avec la police, l'homme avait renoncé à mettre son projet à exécution. Robert comprenait aujourd'hui comment on pouvait en arriver là.

Sa famille reçut Martine comme une petite reine et il en fut très flatté. Il paraissait de meilleure humeur, tenant surtout à ne rien laisser paraître de sa déprime et de ses problèmes personnels. Chez les siens, d'ailleurs, on était peu bavard sur les états d'âme. C'était une de ces familles paysannes où il n'est pas dans les habitudes d'étaler ses sentiments au grand jour.

Sur le chemin du retour, il se sentit réconforté d'avoir pu revoir ses parents et la plupart de ses frères et sœurs. Martine était là, toujours à ses côtés. Il craignait néanmoins d'être devenu un poids pour elle.

– Je suis très content, lui avoua-t-il, que tu sois venue avec moi.

Martine en retira l'impression que ce contact avec sa famille lui avait fait du bien.

Ils passèrent ensemble la nuit de la Saint-Sylvestre. Pour le premier janvier, à la dernière minute, Martine avait invité un couple d'amis. Ce fut l'occasion d'un échange de cadeaux sans formalités et d'une sympathique partie de cartes. Aux yeux des uns et des autres, Robert semblait aller beaucoup mieux qu'avant Noël.

Sur la table de chevet, les chiffres rouges du cadran faisaient une enseigne lumineuse dans la pénombre de la chambre. Martine remonta les couvertures et se lova contre lui. Il répondit sans mot dire à ses avances. Il revisitait de la main la courbe gracieuse de ses hanches, devinait le contour ourlé de ses lèvres. Sa bouche, au goût d'*amaretto*, lui parut aussi douce que la première fois. Depuis plusieurs semaines, ils n'avaient plus fait l'amour. Martine se dit qu'ils rattraperaient peut-être le temps perdu.

Dans les jours qui suivirent, une pluie verglaçante s'abattit sur l'Outaouais. Le ciel bas et gris laissait dégouliner un crachin qui s'agrippait aux branches et aux fils électriques. Sous le poids de la glace, les lignes d'Hydro Québec cédaient l'une après l'autre et le courant commença à manquer un peu partout. Au bout de quelques jours, toute la région fut paralysée.

Le 5 janvier, Robert appela Martine pour lui dire qu'il souhaitait prendre ses distances pendant quelque temps. Elle sembla très surprise et insista pour le revoir le week-end suivant. Il tenta de lui faire comprendre qu'il avait besoin d'un peu de solitude. Le lendemain, Martine débarqua chez lui à l'improviste. L'école où elle enseignait était fermée pour la journée, à cause du verglas.

— Pourquoi viens-tu me voir, lui demanda-t-il? Je t'avais demandé de me laisser seul quelque temps.

Elle s'attendait bien à un accueil plutôt froid. Il eut du mal à lui expliquer cette retraite, après les deux agréables semaines qu'ils venaient de passer ensemble.

— J'ai besoin de calme et de solitude, répéta-t-il, avec assez peu de conviction.

Il était maladroit et il le savait, conscient de donner l'impression de mentir. Martine ne s'y trompait pas. Elle passa quelques heures avec lui. Ils prirent le repas du soir à la lueur de deux chandelles, l'électricité n'étant pas revenue. Robert tenta de se faire rassurant sur son état. Il dut lui avouer cependant, à mots couverts, qu'il n'était plus très optimiste quant à l'avenir de leur relation. Elle s'en retourna chez elle, l'esprit confus, et se promit de le rappeler les jours suivants.

Pendant la nuit, le ciel se dégagea. Le lendemain, le vent du nord ramena des températures de saison et la glace suspendue partout se mit à étinceler sous le soleil. On annonçait moins vingt degrés pour la nuit.

L'électricité était revenue. Robert passa la journée à mettre en ordre son bureau. Quand il eut terminé, il entreprit d'écrire quelques mots à l'ordinateur. Puis il laissa un message accroché à l'écran. Il glissa dans sa poche une boîte de somnifères, descendit au sous-sol où il prit le tuyau de l'aspirateur, et se prépara à partir. Il enchaînait ces gestes de façon mécanique, comme s'il s'agissait d'une routine. Après un dernier coup d'œil à l'appartement, il endossa son parka, mit ses bottes d'hiver et sortit.

Il prit l'autoroute vers le nord et la quitta pour emprunter un chemin de campagne qui s'égare en direction du parc de la Gatineau. Il eut une pensée pour Martine, avec qui il avait pris plusieurs fois cette route pour des balades à pied dans le parc. Le chemin était peu fréquenté. Peu de chances que quelqu'un passe par là à cette heure. Le soleil avait déjà disparu derrière la crête des arbres. Il stationna la voiture en bordure du chemin, sans arrêter le moteur. Puis il gribouilla quelques mots destinés à Martine, dans un calepin qu'il laissa sur le siège du passager.

Au moment où il sortit de la voiture, le froid lui parut vif, mais il n'y porta guère d'attention. Il ficela le tube de l'aspirateur sur le tuyau d'échappement et envoya l'autre extrémité à l'intérieur de l'habitacle, en passant par l'ouverture d'une vitre arrière. Il prit soin de colmater les interstices avec des bouts de carton et du ruban gommé.

Puis il s'assit dans la voiture, tourna l'interrupteur des phares et inclina le siège légèrement vers l'arrière. À travers le pare-brise, le champ du ciel devant lui était d'un bleu turquoise. Du côté du couchant, les dernières lueurs du jour s'éteignaient. Il avala le flacon de somnifères et s'endormit sous les étoiles.

Paul Van Melle

Les vies sauvées

François-Xavier Noir   *Les vies sauvées*   2006

ILS SE SENTENT seuls et une foule immense les entoure. De regards et de gestes amicaux. Impossible pour eux de se défaire de l'impression d'être abandonnés. Les couleurs elles-mêmes sont devenues pâles. Cependant leur vision reste parfaite, épousant toutes les nuances légères des vêtements et des peaux.

Comment comprendre ce qui leur arrive ? Le décor participe à la surprise et même s'assombrit, prenant des tons d'orage et de nuit. Ils tentent de bouger pour se débarrasser de cette apparente paralysie, et se rendent compte que leur corps répond toujours à la moindre sollicitation.

C'est comme un rêve ou une hallucination. Une solitude rappelant celle ressentie naguère en participant à des manifestations politiques. Ne pas reconnaître soudain ses voisins les plus proches. Rester loin, très loin de ce qui a rassemblé la masse silencieuse ou hurlant des slogans. N'être pas de ceux-là soudain et avoir envie de quitter tout et eux surtout, devenus en une seconde des étrangers incompréhensibles. Alors qu'ils s'étaient pénétrés profondément des raisons d'être ensemble, de leur chance d'être des milliers à protester, à affirmer, à penser et chanter.

C'est un retour aux premiers temps de leur enfance, lorsque le monde extérieur leur paraissait incompréhensible, sinon agressif, et que seuls les gestes de tendresse maternelle pouvaient calmer leur angoisse primale.

Ici aucune mère ne vient les caresser et les rassurer. Au contraire, la plus forte sensation est d'éloignement, d'indifférence. Pas d'agressivité, non. Presque de la pure absence. Autour d'eux se pressent des amis aimables, mais ils les voient peu et ne répondent pas à leurs avances.

Eux. Qui sont-ils? Combien sont-ils à se sentir si seuls? À rester extérieurs à tout ce qui les entoure? Ne serait-ce pas le cas de toute la foule? Mais non, la différence de gestes et de couleurs ne peut tromper. Ils sont seuls. Les autres non. Ils ne se sentent pas en communion comme ceux-là.

Une étrange torpeur les saisit. Ils bougent et n'avancent pas. Vers aucun but connaissable. Un de ces voyages immobiles qu'aimait leur imagination il y a peu. Ces rêves où l'on part en courant mais n'arrive jamais nulle part. Une sorte de cauchemar. Aucune peur cependant. Un calme souverain pendant la progression.

Autre sensation, plus curieuse encore : une impossibilité de faire un pas de côté. Des rails. Un peloton de coureurs cyclistes qui «frottent». À la moindre déviation ce serait la chute générale. Peut-être blessure ou fracture contre un obstacle inattendu. Ils n'y songent même pas, entraînés par la foule dans une direction unique. Ils n'ont aucune envie de heurter un voisin ou de changer de direction.

Ils se sentent seuls. Immensément. Un groupe d'isolés. Même pas désireux de se connaître. Un groupe pourtant, un peu différent des autres. Une question de temps, ou d'espace, ou de taille? Ou alors de ces couleurs si pâles chez les autres? Ou de durées, ils ne savent comment? Questions sans réponses...

C'est aussi la curiosité qui les rapproche. Ils ont tous le visage tendu, les sourcils froncés, ces questions plein la tête. Les autres semblent infiniment calmes, sereins, simplement désireux de marcher, ou plutôt de se déplacer. Vers quoi? Pas de réponse une fois encore. Le sol paraît presque bouger avec la foule. Le ciel, très haut, joue des mêmes nuances délicates que les vêtements. Et le paysage sombre ne laisse déceler aucune forme connue. Une manière de peinture abstraite énorme et proche, plutôt d'action que de réflexion.

De loin en loin un éclair parcourt les rangs. Une lumière brève, violente, traversant apparemment les corps, soit d'avant en arrière du cortège, soit à l'inverse. Alors les regards et les gestes, toujours amicaux, changent de sens. Plus précis ou, si l'on ose, plus colorés, quittant un instant les nuances pâles et tendres des vêtements.

Ils sont toujours aussi seuls. Après quelques éclairs, ils se regardent. L'un d'eux assiste, surpris, à l'apparition de sourires plus francs, de coups d'œil plus complices. Il aperçoit un éclaircissement des vêtements, proches désormais de ceux de la foule. Les siens sans doute changent également de ton.

Un éclair encore, de face, éblouissant, éclairant fugitivement le paysage, où se devinent peut-être des forêts, des maisons, des routes et des couleurs plus vives. C'est bref. L'éclair a disparu vers l'arrière. L'arrière : personne ne semble pouvoir se retourner pour regarder ce qui s'y passe. Toute la foule, eux compris, est tendue vers l'avant, dans le sens de la marche.

Un autre éclair, venu de l'arrière cette fois, leur donne comme un coup de pouce dans le dos. Or la foule n'accélère pas. Elle se fait plus décidée. Ils remarquent que l'éclair ne disparaît pas au loin. Il illumine mieux le ciel et le paysage à mesure qu'il s'éloigne.

Un mouvement agite le cortège. À gauche, le paysage s'ouvre et révèle une autre foule rejoignant la marche. C'est lent et n'a rien d'agressif. Eux examinent les arrivants et se reconnaissent dans les vêtements plus colorés et les visages tendus dans l'effort de comprendre. Sans doute ceux-là subiront-ils bientôt les mêmes transformations qu'eux.

Les deux foules se sont rassemblées, marchant désormais dans le même sens, sous le ciel et entre les paysages, subissant les éclairs, tous heureux des sourires et des gestes amicaux du courant principal.

Eux se regardent et regardent en souriant les nouveaux. Ils ne se posent plus autant de questions, rassurés par le calme ambiant. Ils ne sont plus vraiment un groupe d'isolés séparé des autres. Les éclairs se font plus fréquents, l'ambiance a changé. Les nuances n'ont pas disparu. Les couleurs redeviennent plus vives, une harmonie est née entre tous.

Un chant s'élève maintenant, tout de notes rapides soulignées par la lenteur et la puissance des basses. La foule se met à danser, laissant à chacun sa solitude et, en même temps, le plaisir d'être ensemble.

*

Axel ouvre les yeux. A-t-il rêvé? Non, le souvenir est trop précis et chaque détail lui revient, chaque couleur, chaque son. Il referme les yeux et la scène est immédiatement présente à nouveau. Une différence seulement : la douleur est revenue, lancinante.

Il se rend compte que sa participation au cortège représente une part de sa vie. La part calme et sereine, très loin de tout ce qu'il connaît depuis le gouffre où il est tombé. Il devine autour de lui les mouvements habituels de celles et ceux qui le soignent. Il sait que tout est inutile. Seuls la marche et le soutien de la foule peuvent encore le sauver.

Il ne rouvre surtout pas les yeux et se glisse parmi les autres, accueilli une nouvelle fois par le groupe des enfants. Impossible d'oublier sa souffrance. Pourtant les sourires et caresses prodiguées par des mains amies adoucissent la peine de la certitude de ne plus revoir bientôt ses proches. Déjà leurs visages s'estompent, tandis que son amour pour eux reste intact. À peine plus lointain. Il sent une main appuyée sur son corps meurtri et voudrait raconter la beauté de ce qu'ils appelleront son rêve : le début d'une vie nouvelle.

Il ne sait pas ce qu'il rencontrera au bout du chemin, à l'origine des éclairs, avec l'aide de ce qui pousse le cortège vers l'avant, en direction de ce qui va lui faire du bien. S'agit-il des contes et des légendes si souvent écoutées? Ou serait-ce une vie d'adulte qui l'attendrait? Il ne tente pas de le savoir. Il se contente d'assister au mouvement lent de la foule vers un espoir. Ou plutôt une espérance.

Soudain la main trouve la sienne, la serre doucement. Sans un mot la présence aimante parvient à réconforter d'une simple pression. Axel sait à qui appartient cette main. Pour lui, elle est déjà son passé. Il va vers son avenir en fermant les yeux. Pourquoi les humains autour de lui depuis sa naissance ne peuvent-ils comprendre? Leurs gesticulations risquent de l'empêcher de passer dans un monde où ces foules amies vont l'aider à oublier les moments douloureux et lui feront revivre les belles années de son imaginaire et si réel bonheur avec eux. Ils vont croire qu'il les quitte trop tôt, alors que son départ va l'empêcher de souffrir plus avant. Il vient de comprendre que sa fin est un commencement. Son avenir le rendra plus proche de tout ce qu'il a aimé. Sa mémoire sera plus complète, devenant immense en accueillant toutes les autres vies.

Le grand cortège de l'avenir du monde lui fera oublier les faiblesses qu'il a vécues. Le corps qu'il laisse derrière lui n'est plus rien. Axel sera débarassé de ses douleurs et pourra déployer les trésors de son imagination, très au delà des valeurs matérielles que les vivants croient indispensables à leur bonheur. Il comprend mieux maintenant, malgré son très jeune âge. Il n'avait pu encore acquérir la science dont ils ont fait une idole. Il sent, il sait aujourd'hui : la pensée est plus forte que le réel ou supposé réel.

Sauf cette main qui l'a soulagé devenant sans doute un des souvenirs les plus précieux de sa courte existence, avec quelques autres mains, des baisers et des caresses dont il va pouvoir nourrir la vie des autres, de tous les autres, de cette foule qu'il accompagne, libéré maintenant du mal qui l'a rongé.

Il ouvre tout de même les yeux. Revient au souvenir de son passé si récent, disparu comme le sourire accompagnant la main. Il est déjà dans un autre univers, tellement plus beau. La foule qu'il retrouve en fermant les yeux, cette manière d'aller vers l'avenir sans regard en arrière, c'est ce que sans doute les vivants refusent, accrochés à l'inutile et au superflu.

Le chemin ne monte pas, ni ne descend. Il représente la poursuite de la vie antérieure et non une montée vers l'inaccessible ni la descente vers un pire. La marche sous le ciel, dans le paysage et le sol lisse de l'étrange monde en devenir qu'est notre vie à tous, cette manière de pèlerinage vers l'inconnu, avec les éclairs de l'imagination et la fraternité, ne crée aucun hiatus entre l'avant et l'après.

Axel ne sait pas qu'il va continuer à vivre, de sa seule pensée, de sa seule imagination. La foule qui l'entoure et le réchauffe va mettre en commun les savoirs et les rêves de chacun afin de retrouver une science première, avec les autres. C'est l'avenir de cette foule dont les couleurs et les chants se rejoignent depuis des millénaires en passant dans le tunnel des joies et des peines, puis dans celui qui lui succède. Vers l'harmonie enfin réalisée des esprits.

Biographies

Bernard Antenen

Bernard Antenen est né en 1936 à Lausanne, en Suisse, où il fit ses classes et ses études. Une licence en lettres, trente-sept ans d'enseignement du français et de l'histoire, sur différents rivages : lac Léman, Lago Maggiore, Tcherno More (Mer Noire), Lago di Lugano. Il vit à Genève depuis un quart de siècle. Marié, deux enfants. Il est maintenant grand-père.

Le monde d'aujourd'hui n'a plus grand chose à voir avec celui de ses vingt ans, quand il prétendait le changer, mais il lui paraît tout aussi inacceptable. L'écriture lui a ouvert les voies de l'imaginaire, ce qui n'exclut pas le regard critique, tel qu'il apparaît dans ses deux romans publiés aux éditions de l'Âge d'Homme, à Lausanne : *Le manteau du Père Noël*, choisi comme Livre 1997 par la Fondation Schiller, et *D'un Siècle lointain ou le regard de Constance*.

À l'âge où ses contemporains rédigent et publient leurs souvenirs, il invente les siens en relatant les rencontres hautement improbables qui auraient pu marquer sa vie : voyageurs du XVIIIe siècle, le peintre Konrad Witz, saint Augustin, Casanova... Il aime parler de ses rencontres à des lectures publiques.

Nicole Balvay-Haillot

Née en France, Nicole-Balvay-Haillot vit au Québec depuis plus de trente ans. Auteure de deux récits et d'un roman, elle écrit aussi des nouvelles, dont certaines, soumises à des concours, lui ont valu récemment une mention spéciale. Si elle réfléchit sur le thème inépuisable de la femme à travers ses âges, ses épreuves, ses émotions, celui de l'identité, nourri par de nombreux contacts avec d'autres cultures, y a trouvé tout naturellement sa place.

Nicole Balvay-Haillot est présidente de l'Association des auteurs et auteures de l'Outaouais depuis de nombreuses années.

Pierre-Antoine Bertoli

Pierre-Antoine Bertoli est né en 1955, à Genève.
Il a grandi en Afrique, en Angleterre et en Autriche.
Maintenant, il habite dans la campagne genevoise.
Il travaille dans l'enseignement public.

Il est marié heureux père de trois garçons.

Des études de lettres
un peu de sport
un peu de peinture
un peu d'écriture
beaucoup de bonne chère...
Des amis précieux
l'amour des choses de la vie,
qui pousse à aller chercher
fût-ce au bout des tunnels les plus sombres
des nuits les plus noires
la lumière du jour nouveau.

Claire Boulé

Après une carrière dans l'enseignement de la littérature au post-secondaire (collégial), Claire Boulé a pris sa retraite en 2003 pour se consacrer à l'art et à l'écriture. En 1982, elle a eu le deuxième prix Octave Crémazie pour *L'Été interdit. Poésie.* En 2003, elle a fait paraître *Poreuses Frontières. Poésie* (Éditions du Vermillon, Ottawa), puis un recueil de nouvelles, *Maison ouverte*, en 2006 (Vermillon également). Elle a participé à des collectifs, dont *Des nouvelles du hasard* (Vermillon, 2004).

Lysette Brochu

Lysette Brochu, née à Sudbury, en Ontario, est installée à Limbour, dans l'Outaouais québécois. Enseignante, elle a exercé dans l'enseignement primaire, puis secondaire, avant de devenir professeur suppléante et chargée de cours en 1992 à l'Université du Québec à Hull. Aujourd'hui, elle est chroniqueuse culturelle de plusieurs cybersites et de la *Revue de Gatineau*. Lysette a publié plusieurs nouvelles, contes et poèmes dans des collectifs ou des revues, elle est l'auteure de six albums et romans destinés aux enfants et de *Saisons d'or et d'argile*, recueil de récits et de tableaux de vie qui illustrent bien les valeurs qui lui tiennent à cœur, entre autres, la compassion, la tendresse et surtout l'amour familial.

Julien Dunilac

Depuis vingt ans, Julien Dunilac (Frédéric Dubois) se consacre exclusivement à la littérature. Avant, il fut diplomate, directeur de l'Office fédéral de la culture et président du Comité directeur de la Coopération culturelle du Conseil de l'Europe. Son œuvre comporte une quarantaine d'ouvrages, romans, poésie, essais – notamment *Territoires de l'exil* (anthologie de cinquante ans de poésie), *La passion selon Belle*, *Le Funiculaire*, *Héloïse au miroir* ou *George Sand sous la loupe* – et autant de pièces théâtrales, notamment pour la radio, dont *La partie d'échecs*, Prix Ondas, Barcelone, 1987.

Jacques Flamand

Jacques Flamand est né en 1935. Longues études et nombreux diplômes (théologie, philosophie, psychologie, lettres françaises, anglais). A enseigné, notamment à l'Université d'Ottawa, les sciences religieuses et la traduction, et à Montréal, la sexologie. Traducteur professionnel et traducteur littéraire. Pédagogue, a eu et a toujours de nombreuses activités de formation et de perfectionnement (ateliers d'écriture, mentorat, conseil littéraire). A été rédacteur en chef de deux revues. A publié quelque quarante-cinq titres, tant non-fiction que fiction et traduction.

Cofondateur du Festival littéraire des Outaouais, fondateur de l'Association des auteures et auteurs de l'Ontario français, cofondateur des Éditions du Vermillon. Alpiniste, a réalisé de nombreuses courses en haute montagne. Il habite la région de la Capitale nationale, au Canada, depuis 1966.

Edith Habersaat

Edith Habersaat est née à Genève en 1941. Professeur dans l'enseignement secondaire et critique littéraire, elle est l'auteur de près de trente ouvrages (récits, romans, théâtre, essais), dont certains ont été mis en ondes par la Radio Suisse Romande (*Le Bal Démasqué*) ou adaptés à la scène et représentés successivement au Théâtre de Valère à Sion (*L'Arbre Rouge*) et à Genève (*Des Plis dans l'Aube*). Trois de ses œuvres lui ont valu un prix littéraire, respectivement le Prix offert par la Ville de Genève, le Prix Alpes-Jura et le Prix de la Nouvelle, ainsi qu'une nomination pour *La Femme Dévisagée* dans le cadre du Prix Lipp 1998.

Martine Jacquot

Poète, romancière, nouvelliste et essayiste, Martine L. Jacquot a publié dix-huit livres et des textes en anthologie. Elle a été invitée à lire sur trois continents et est régulièrement invitée à participer à des événements littéraires. Elle a été longtemps engagée dans le développement culturel. Elle habite en Nouvelle-Écosse.

Claude Lamarche

Née au printemps 1950, Claude Lamarche a suivi ses parents, de ville en ville, pendant vingt ans. Un beau jour, elle choisit la campagne et l'enseignement, bifurque rapidement vers l'infographie dans un hebdomadaire. Pendant vingt ans encore, elle s'occupe surtout des mots des autres et publie timidement les siens. En 1999, elle rentre à la maison et, depuis, partage son temps entre l'écriture et les voyages.

A publié huit titres depuis 1978 dans les genres essai, roman, biographie, livre pratique, récit.

Loïse Lavallée

Originaire de Montréal, Loïse Lavallée est l'auteur d'*Éloïse, poste restante*, récit qui a connu un succès non seulement au Québec, mais aussi en France, en Suisse et en Belgique, traduit en anglais et en braille. On lui doit également un recueil de poèmes : *Une faim de Louve, cantiques charnels*, odes tant à la spiritualité qu'à l'expression charnelle de l'amour et du désir.

Elle habite Gatineau, au Québec.

Carole Martel

Carole Martel est originaire de Laval, au Québec. Elle vit depuis plusieurs années dans la région de l'Outaouais. Détentrice d'un baccalauréat en lettres françaises de l'Université d'Ottawa, elle s'intéresse à la littérature, au théâtre, et au chant classique. En 1989, elle remporte le Prix du jury de l'Ambassade de France en collaboration avec l'Université d'Ottawa, catégorie poésie et, en 1981, le premier prix du Festival de la chanson de l'Outaouais comme auteur-compositeur-interprète. Elle a participé à nombre de productions théâtrales, concerts d'opéra et spectacles de chansons et de poésie. En 2003, elle signe son premier recueil de poésie *L'Innommée* (Écrits des Hautes-Terres, au Québec).

Pierrette Micheloud

Pierrette Micheloud, originaire de Vex (Alpes valaisannes), habite Paris depuis 1950, tout en retournant souvent en Suisse, soit au-dessus du Léman, soit en Valais. «Une existence vécue en poésie», disent les critiques. Une récente Anthologie personnelle, *Poésie* (Éditions L'Âge d'homme) suit les étapes de cette œuvre depuis 1945. Une vingtaine de recueils publiés, en Suisse ou en France. Deux importants ouvrages en prose : *L'ombre ardente* (Éditions Monographic, 1995), *Nostalgie de l'innocence* (Éditions de l'Aire, 2006).

Pierrette Micheloud fut aussi critique de poésie. En 1966, en collaboration avec feue Édith Mora, elle fonda le Prix de Poésie Louise Labé.

Christian Milat

Professeur au Département des lettres françaises de l'Université d'Ottawa, Christian Milat a publié plusieurs livres et articles, en particulier sur le roman français du XXᵉ siècle. Il a aussi écrit des textes de fiction, dont deux ont reçu, en 2004 et 2005, le Prix de la nouvelle de la Bibliothèque publique de la Ville d'Ottawa. Il a enfin publié un recueil de poésie, *Douleureuse aurore* (Éditions David, 2006).

François-Xavier Noir

François-Xavier Noir est né en 1945, à Saint-Étienne, en France. Architecte de métier, peintre dessinateur; formation artistique aux Beaux Arts de Saint-Étienne. A exposé peintures, sculptures et tapisseries de haute lisse, réalisé des décorations murales et illustré plusieurs publications.

L'écriture est pour lui un complément d'expression aux arts visuels. Quelques dessins, poèmes et extraits sont publiés dans la revue *Envol* en 1996 et 1999.

Lux Perpetua et un *Manifeste de l'artiste* accompagnent une vingtaine de ses dessins visualisant les nouvelles d'auteurs qui contribuent à l'ouvrage collectif *Le tunnel*.

Louis Noreau

Attiré depuis toujours par la littérature, Louis Noreau a fait un long détour par la recherche en astrophysique avant de retourner à l'écriture. Il a fréquemment dit sa poésie en public et il coanime une soirée mensuelle de poésie depuis six ans. Il travaille en ce moment à un recueil de poèmes et un autre de nouvelles. Son emploi actuel de traducteur scientifique lui permet de concilier sa passion pour les mots et son intérêt pour la science.

Jean-François Somain

Jean-François Somain, né à Paris en 1943, s'est établi au Canada en 1957. Il a commencé très tôt à parcourir la planète, pour finalement passer sa vie, par tranches successives, sur tous les continents. D'abord économiste, puis diplomate de carrière, il a produit, en quarante ans d'écriture, une quarantaine d'ouvrages, surtout des romans et des nouvelles qui reflètent son inlassable curiosité pour tout ce qui vit. La fiction et la réalité l'intéressent également et il se plaît à les mélanger. Il habite maintenant au bord d'un lac, dans les forêts de la Gatineau. (www.jfsomain.ca)

Jacqueline Thévoz

Née à Estavayer-le-Lac, Jacqueline Thévoz a mené de front des études musicales au Conservatoire de musique, chorégraphiques au Conservatoire de ballet Lausanne-Paris, et universitaires en sciences politiques. Professeur de musique, rythmique et danse classique, compositeur, chorégraphe, journaliste et écrivain, elle a fait le tour du monde et publié une vingtaine d'ouvrages : livres d'art, romans, traités, poésie, histoire de l'art, biographies. Elle est lauréate de nombreux prix littéraires, dont le Prix Folloque de la Faculté des lettres de Lausanne, et le Prix de l'Académie des Treize. Elle a fait partie de nombreux jurys littéraires.

Gilbert Troutet

Gilbert Troutet est avant tout auteur de poésie et de chansons. En 2005, il a publié un recueil de textes intitulé *Mots et cris* (Éditions du Vermillon, Ottawa), accompagné d'un disque, *Chansons pour dire*, où il interprète une dizaine de ses compositions. Très divers, ses sujets vont de la critique sociale à la badinerie. Depuis quelques années, il s'intéresse à d'autres formes d'écriture, la nouvelle en particulier.

Né sur les plateaux du Jura, près de la frontière suisse, Gilbert Troutet a fait carrière au Canada, dans la fonction publique fédérale, tout en demeurant très actif dans le milieu culturel et artistique. Il a vécu dix ans dans l'ouest canadien et s'est établi en Outaouais, dans le sud-ouest du Québec, au milieu des années quatre-vingt.

Paul Van Melle

Né le 23 janvier 1926, Paul Van Melle a commencé à écrire en 1943, au cœur de la guerre. Professionnellement publicitaire, de 1947 ce jour il a collaboré à de nombreux magazines et revues par des poèmes, des chroniques littéraires et des billets, sans négliger conférences et animations. A fondé le *Gril* (Groupe de Réflexion et d'Information Littéraires) en 1985, le mensuel *Inédit Nouveau* en 1986 et les Éditions du Gril (soixante-dix volumes publiés) en 1988. A publié recueils de poèmes, essais, contes et roman chez divers éditeurs, mais surtout en coédition.

Table des matières

Récits, nouvelles, contes et romans
dans la collection **Parole vivante**

61. Bernard Chevrier, *Le destin d'Antoine Brûlé. Récit*, 2006, 136 pages.
62. Claire Boulé, *Maison ouverte. Nouvelles*, 2006, 200 pages.
63. Yvette Granier-Barkun, *Au delà du destin. Nouvelles*, 2006, 104 pages.
64. Myriam LaVoie, *Au cœur du passage. Contes*, 2006, 68 pages.
65. Anne-Michèle Lévesque et Josette Saint-Laurent, *Félinement vôtres. Nouvelles*, 2006, 208 pages.

Le tunnel
est le trois cent trente-quatrième titre
publié par les Éditions du Vermillon

Composition
en Garamond, corps douze sur quinze
et mise en page
Atelier graphique du Vermillon
Ottawa (Ontario)
Films de couverture
Impression et reliure
Marquis Imprimeur
Cap-Saint-Ignace (Québec)
Achevé d'imprimer
en avril deux mille sept
sur les presses de
Marquis Imprimeur
pour les Éditions du Vermillon

ISBN ISBN 978-1-897058-55-8
Imprimé au Canada